МИХ. ЗОЩЕНКО

TWELVE STORIES

by

M. ZOSHCHENKO

Selected and annotated for English-speaking students

by Lesli LaRocco and Slava Paperno

With a complete glossary based on

5000 Russian Words

by R. L. Leed and S. Paperno

Slavica Publishers

Slavica publishes a wide variety of scholarly books and textbooks on the languages, peoples, literatures, cultures, history, etc. of the USSR and Eastern Europe. For a complete catalog of books and journals from Slavica, with prices and ordering information, write to:

Slavica Publishers, Inc.
PO Box 14388
Columbus, Ohio 43214

ISBN: 0-89357-206-3.

Printed in the United States of America.

Mikhail Zoshchenko is a classic of Soviet satire. He was born in 1895 and died in 1958. Zoshchenko spent most of his life writing stories and short novels, but he is best known for his early short stories, written in the 1920's.

Zoshchenko's prose is thought to be extremely funny, with a large dose of bitter irony. His short stories read as perfectly-aimed satire, written to kill. It is not clear whether he hated his characters or pitied them, but he seemed to have taken great delight in portraying some of the grotesque qualities of homo sapiens. *Perhaps he thought his readers would recognize themselves in his characters and laugh with him. Perhaps not. His characters are indeed extremely recognizable, but they would hardly laugh at themselves. They don't have a sense of humor, which makes them perfect targets for Zoshchenko.*

We have collected these twelve stories from various early editions. Zoshchenko's stories have been published in the USSR many times, although there was a period when they were banned from the library shelves. We did not make any changes in the text, and when some of the numerous editions showed small discrepancies, we usually chose an earlier version.

Zoshchenko's prose is a treasure trove of colloquial vocabulary and syntax, most of it quite current today. Every so often the speech of his characters and narrators spills over the limits prescribed by good grammar. In all of these instances, we supply standard, grammatically correct equivalents that can be used when discussing the stories in class. The glossary at the end of the book contains all of the words used in the stories.

We are grateful to Chris Beckley, Arthur Benjamin, Olga Kaplan, and Irina Paperno for their help in preparing this edition. The typeface used in this book was designed by Richard L. Leed. The Consortium for Language Teaching and Learning provided financial support.

Audio recordings of these stories are available from Tape Sales, Morrill Hall, Cornell University, Ithaca NY 14853. An electronic version of this book, An On-Screen Reader, is available from Exceller Software Corporation, 223 Langmuir Lab, Cornell Research Park, Ithaca NY 14850.

Contents

Родны́е лю́ди

Э́тот разгово́р я записа́л досло́вно. И пу́сть чита́тель плю́нет мне в глаза́, е́сли я хоть что́-нибудь преувели́чил. Я ничего́ не преувели́чил. Всё в аккура́т[1] та́к и бы́ло.[2]

Разгово́р произошёл в тюрьме́. В приёмной ко́мнате. Ма́ть пришла́ на свида́ние к сы́ну.

Встре́ча была́ серде́чная. Мама́ша ра́достно пла́кала. Сы́н то́же поса́пывал но́сом.

По́сле пе́рвых слёз и горя́чих поцелу́ев ма́ть и сы́н усе́лись на скаме́йку ря́дышком.

— Ну та́к, — сказа́л сы́н. — Пришла́, зна́чит.[3]

— Пришла́, Ва́сенька, — сказа́ла ма́ть.

— Та́к, — повтори́л сы́н.

Он с любопы́тством посмотре́л на се́рую казённую сте́ну, пото́м на две́рь, на пе́чку и наконе́ц перевёл взгля́д на свои́ санда́лии.

— Та́к, — в тре́тий ра́з сказа́л сы́н и вздохну́л...

Ма́ть то́же вздохну́ла и, перебира́я[4] па́льцами бахро́мки ба́йкового своего́ платка́, посмотре́ла по сторона́м.[5]

— Ну во́т, — сказа́л сы́н и шу́мно вы́сморкался.

Оба по́сле э́того сиде́ли мо́лча мину́ты три́.[6]

Наконе́ц сы́н сказа́л:

---

[1] в аккура́т (*colloquial for* то́чно, и́менно) exactly, precisely

[2] та́к и бы́ло that's how it was

[3] Пришла́, зна́чит. So you came (to see me).

[4] перебира́я (*present deverbal adverb of* перебира́ть) па́льцами fingering, fiddling with

[5] смотре́ть по сторона́м (*idiom*) look around

[6] мину́ты три́ about three minutes

— А свида́нье, мама́ша, ны́нче си́льно ограни́чили. Два́дцать мину́т, говоря́т, даётся на свида́нье.

— Ма́ло э́то, Ва́сенька, — укори́зненно сказа́ла мать.

— Да уж,[1] коне́чно, немно́го, — сказа́л сын.

— Я так ду́маю, Ва́сенька, что нам о́чень да́же ма́ло — два́дцать мину́т-то.[2] Не поговори́ть[3] с родны́м челове́ком, ничего́ тако́го[4]...

Мать покача́ла голово́й и доба́вила:

— Ну уж[5] я пойду́, Ва́сенька.

— Ну иди́, мама́ша.

О́ба оживлённо вста́ли, вздохну́ли и поцелова́лись.

Сын сказа́л:

— Ну так. Ла́дно. Заходи́, мама́ша... Да чего́ я ещё хоте́л[6] сказа́ть? Да, плита́-то[7] в ку́хне всё ещё дыми́т, мама́ша?

— Плита́-то? Дыми́т, Ва́сенька. Обяза́тельно[8] дыми́т. Да́веча[9] всю кварти́ру ды́мом зарази́ло.[10]

— Ну так... Иди́, мама́ша.

Мать и сын полюбова́лись дру́г дру́гом и разошли́сь.

---

[1] да уж (*colloquial*) well, yeah

[2] -то *particle added to the end of a word for emphasis in colloquial style*

[3] не поговори́ть = нельзя́, невозмо́жно поговори́ть you can't have a conversation

[4] ничего́ тако́го nothing of the kind; no way

[5] ну́ уж well, OK

[6] Да чего́ я ещё хоте́л..? (*colloquial*) Well, what else did I want..?

[7] плита́-то that stove (-то *for emphasis and colloquial coloring*)

[8] обяза́тельно for sure (*here colloquially used for* коне́чно 'of course')

[9] да́веча (*archaic colloquial for* на дня́х, неда́вно) the other day

[10] зарази́ть infect, infest (*here used to mean* 'fill up')

Ро́дственник

Два́ дня́ Тимофе́й Васи́льевич разы́скивал своего́ племя́нника, Серёгу Вла́сова. А на тре́тий де́нь, пе́ред са́мым отъе́здом,[1] нашёл. В трамва́е встре́тил.

Се́л Тимофе́й Васи́льевич в трамва́й, вы́нул гри́венник, хоте́л пода́ть конду́ктору, то́лько[2] гляди́т — что́ тако́е?[3] Ли́чность конду́ктора бу́дто о́чень знако́мая. Посмотре́л Тимофе́й Васи́льевич — да́! Та́к и е́сть[4] — Серге́й Вла́сов со́бственной персо́ной[5] в трамва́йных конду́кторах.[6]

— Ну́! — закрича́л Тимофе́й Васи́льевич. — Серёга! Ты́ ли э́то, дру́г си́тный?

Конду́ктор сконфу́зился, попра́вил, без вся́кой ви́димой нужды́, кату́шки с биле́тами и сказа́л:

— Сейча́с,[7] дя́дя... биле́ты дода́м то́лько.[8]

— Ла́дно! Мо́жно, — ра́достно сказа́л дя́дя. — Я́ обожду́.

Тимофе́й Васи́льевич засмея́лся и ста́л объясня́ть пассажи́рам:

— Э́то о́н[9] мне́ родно́й ро́дственник,[10] Серёга Вла́сов.

---

[1] пе́ред са́мым отъе́здом just before he left (town)

[2] то́лько but then, but suddenly

[3] что́ тако́е? what's that? what's going on?

[4] та́к и е́сть so it is, that's what it is

[5] со́бственной персо́ной (*idiom*) in person, in the flesh

[6] в конду́кторах working as a conductor

[7] сейча́с now; (*colloquial*) hold on, wait a sec

[8] биле́ты дода́м то́лько (*colloquial*) hold on till I finish handing out tickets

[9] Э́то о́н... It's just that he is... The thing is that he is...

[10] родно́й ро́дственник (*tautology for comical effect*) "related" relative

Бра́та Петра́ сын[1]... Я его́ семь ле́т не ви́дел... су́кинова[2] сы́на...

Тимофе́й Васи́льевич с ра́достью посмотре́л на племя́нника и закрича́л ему́:

— А я тебя́, Серёга, друг си́тный, два́ дня́ ищу́. По го́роду ро́юсь.[3] А ты́ во́н где́![4] Конду́ктором.[5] А я и по а́дресу ходи́л. На Разночи́нную у́лицу. Не́ту,[6] отвеча́ют. Мол, вы́был с а́дреса. Куда́, отвеча́ю, вы́был, отве́тьте, говорю́, мне́.[7] Я его́ родно́й ро́дственник. Не зна́ем, говоря́т... А ты́ во́н где́ — конду́ктором, что́ ли?[8]

— Конду́ктором, — ти́хо отве́тил племя́нник.

Пассажи́ры ста́ли с любопы́тством рассма́тривать ро́дственника. Дя́дя счастли́во смея́лся и с любо́вью смотре́л на племя́нника, а племя́нник я́вно конфу́зился и чу́вствуя[9] себя́ при исполне́нии служе́бных обя́занностей,[10] не зна́л, что ему́ говори́ть и ка́к вести́ себя́ с дя́дей.

— Та́к, — сно́ва сказа́л дя́дя,— конду́ктором, зна́чит.[11] На трамва́йной ли́нии?

— Конду́ктором...

---

[1] бра́та Петра́ сын the son of my brother Peter

[2] су́кинова (*phonetic spelling of* су́киного)

[3] ро́юсь (*1st Sg. of* ры́ться 'to rummage around')

[4] а ты́ во́н где́ and look where you are; and look where I find you

[5] Конду́ктором (*ellipsis*) = рабо́таешь конду́ктором

[6] не́ту (*colloquial for* не́т) there isn't

[7] *using a more conventional (less colloquial) word order, this sentence would read something like* (Я в отве́т) говорю́, отве́тьте мне́ куда́ (о́н) вы́был?

[8] ... что́ ли? (*colloquial*) ... or what?

[9] чу́вствуя (*present deverbal adverb of* чу́вствовать) feeling (that he is...)

[10] при исполне́нии служе́бных обя́занностей in the line of duty

[11] зна́чит (*colloquial*) so, so then

— Скажи́ како́й слу́чай![1] А я́, Серёга, дру́г си́тный, се́л в трамва́й, гляжу́ — что́ тако́е? Обли́чность бу́дто у конду́ктора чересчу́р знако́мая. А э́то ты́. А́х, твою́ се́мь-во́семь!..[2] Ну́, я́ же ра́д... Ну́, я́ же дово́лен...

Конду́ктор потопта́лся на ме́сте и вдру́г сказа́л:

— Плати́ть, дя́дя, ну́жно. Биле́т взя́ть... Далеко́ ли ва́м?[3]

Дя́дя счастли́во засмея́лся и хло́пнул по конду́кторской су́мке.

— Заплати́л бы! Е́й-бо́гу! Ся́дь я́ на друго́й но́мер[4] и́ли, мо́жет бы́ть, ваго́н пропусти́[5] — и ба́ста[6] — заплати́л бы. Пла́кали бы мои́ де́нежки.[7] А́х, твою́ се́мь-во́семь!.. А я́ е́ду, Серёга, дру́г си́тный, до вокза́лу.[8]

— Две́ ста́нции, — уны́ло сказа́л конду́ктор, глядя́[9] в сто́рону.

— Не́т, ты́ э́то что́?[10] — удиви́лся Тимофе́й Васи́льевич. — Ты́ э́то чего́,[11] ты́ пра́вду?[12]

---

[1] Скажи́ како́й слу́чай! (*colloquial usage of the imperative form* скажи́ 'say') Look how it turned out!

[2] твою́ се́мь-во́семь (*a mild swearing, probably Zoshchenko's invention, based on a much stronger expression:* твою́ ма́ть *literally*, 'your mother.' *The Accusative case is used because of the verb that is left out*)

[3] Далеко́ ли ва́м? (*ellipsis*) = Далеко́ ли ва́м на́до е́хать?

[4] ся́дь я́ на друго́й но́мер (*special use of the imperative form*) if I had gotten on a different streetcar

[5] пропусти́ (я́ ваго́н) (*special use of the imperative form*) if I'd missed (this car)

[6] ба́ста (*from Italian*) that's it, that would be it

[7] пла́кали бы мои́ де́нежки (*colloquial idiom*) money down the drain

[8] до вокза́лу (*dialectal or substandard*) = на вокза́л

[9] глядя́ (*present deverbal adverb of* гляде́ть) looking

[10] ты́ э́то что́? (*ellipsis*) = ты́ что́ э́то де́лаешь (говори́шь, *etc.*) what are you doing? what's the matter with you?

[11] чего́ (*colloquial*) = что́

[12] ты́ пра́вду? (*ellipsis*) = ты́ пра́вду говори́шь? are you telling the truth? do you really mean that?

— Плати́ть, дя́дя, на́до, — ти́хо сказа́л конду́ктор. — Две́ ста́нции... Потому́ как[1] нельзя́ дарма́, без биле́тов, е́хать...

Тимофе́й Васи́льевич оби́женно сжа́л гу́бы и суро́во посмотре́л на племя́нника.

— Ты́ э́то что́ же[2] — с родно́го дя́ди?[3] Дя́дю гра́бишь?

Конду́ктор тоскли́во посмотре́л в окно́.

— Мародёрствуешь, — серди́то сказа́л дя́дя. — Я́ тебя́, су́кинова сы́на, се́мь ле́т не ви́дел, а ты́ чего́ э́то?[4] Де́ньги тре́боваешь[5] за прое́зд. С родно́го дя́ди? Ты́ не маха́й на меня́ рука́ми. Хотя́ ты́ мне́ и родно́й ро́дственник, но́ я́ твои́х ру́к не испужа́лся. Не маха́й, не де́лай ве́тру перед пассажи́рами.

Тимофе́й Васи́льевич поверте́л гри́венник в руке́ и су́нул его́ в карма́н.

— Что́ же э́то, бра́тцы, тако́е? — обрати́лся Тимофе́й Васи́льевич к пу́блике. — С родно́го дя́ди тре́бует. Две́, говори́т, ста́нции... А́?

— Плати́ть на́до, — чу́ть не пла́ча[6] сказа́л племя́нник. — Вы́, това́рищ дя́дя, не серди́тесь. Потому́ как не мо́й здесь трамва́й. А госуда́рственный трамва́й. Наро́дный.

— Наро́дный, — сказа́л дя́дя, — меня́ э́то не каса́ется. Мо́г бы ты́, су́кин сы́н, родно́го дя́дю ува́жить. Мол, спря́чьте, дя́дя, ва́ш трудово́й гри́венник. Езжа́йте на здоро́вье.[7] И не

---

[1] потому́ как (*colloquial*) = потому́ что

[2] ты́ э́то что́ же? = ты́ э́то что́? what are you doing? what's the matter with you?

[3] с родно́го дя́ди? (*ellipsis*) = с родно́го дя́ди тре́буешь де́ньги?

[4] ты́ чего́ э́то? (*colloquial*) = ты́ что́ э́то? what are you doing? what's the matter with you?

[5] тре́боваешь (*substandard for* тре́буешь, non-past form of тре́бовать) demand, ask

[6] чу́ть не пла́ча (*present deverbal adverb of* пла́кать 'cry') almost crying

[7] на здоро́вье (*used with a verb*) in good health *as in* 'use it in good health'; (*often can be translated as* 'enjoy' *as here* 'enjoy your free ride')

развалится от того[1] трамвай. Я в поезде давеча[2] ехал... не родной кондуктор, а и тот[3] говорит: пожалуйста, говорит, Тимофей Васильевич, что за счёты...[4] Так[5] садитесь... И довёз... не родной... Только земляк знакомый. А ты это что — родного дядю[6]... не будет тебе денег.

Кондуктор вытер лоб рукавом и вдруг позвонил.

— Сойдите, товарищ дядя, — официально сказал племянник.

Видя,[7] что дело принимает серьёзный оборот,[8] Тимофей Васильевич всплеснул руками,[9] снова вынул гривенник, потом опять спрятал.

— Нет, — сказал, — не могу! Не могу тебе, сопляку, заплатить. Лучше пущай сойду.[10]

Тимофей Васильевич торжественно и возмущённо встал и направился к выходу. Потом обернулся.

— Дядю... родного дядю гонишь, — с яростью сказал Тимофей Васильевич. — Да я тебя, сопляка...[11] я тебя,

---

[1] от того from that, because of that

[2] давеча (*archaic colloquial for* на днях, недавно) the other day

[3] а и тот... but even he (said...)

[4] что за счёты? (*colloquial*) let's forget about the money, put your money away

[5] так for free [*literally* 'just like that']

[6] *ellipsis: some verb is left out* (грабишь, не уважаешь), *hence the Accusative case:* дядю

[7] видя (*present deverbal adverb of* видеть) seeing

[8] дело принимает серьёзный оборот it looks like trouble

[9] всплеснуть руками fling up one's hands (in horror, bewilderment, *etc.*)

[10] пущай сойду (*substandard*) I'll get off (пущай *is colloquial, substandard form of* пусть)

[11] Да я тебя, сопляка... (*unfinished threat; some verb is left out, hence the Accusative case:* тебя) Why you punk, I ought to...

сукинова сына... Я тебя расстрелять за это могу. У меня много концов[1] в Смольном.[2]

Тимофей Васильевич уничтожающе посмотрел на племянника и сошёл с трамвая.

---

[1] У меня много концов (*colloquial*) I have a lot of connections

[2] Смольный the building that housed, at the time, the headquarters of the Soviet government in Petrograd (*formerly St. Petersburg, now Leningrad*).

Сéренький кóзлик

Когдá Лéнин бы́л мáленький, óн почти́ ничегó не боя́лся. Óн смéло входи́л в тёмную кóмнату. Не плáкал, когдá расскáзывали стрáшные скáзки. И вообщé óн почти́ никогдá не плáкал.

А егó млáдший брáт Ми́тя тóже бы́л óчень хорóший и дóбрый мáльчик. Нó тóлько óн бы́л óчень уж жáлостливый.

Ктó-нибудь запоёт гру́стную пéсню, и Ми́тя в три́ ручья́ плáчет.[1]

Осóбенно óн гóрько плáкал, когдá дéти пéли «Кóзлика».

Мнóгие дéти знáют э́ту пéсенку — о тóм, как у бáбушки жи́л сéренький кóзлик.

«Жи́л-бы́л[2] у бáбушки сéренький кóзлик,
Вóт кáк,[3] вóт кáк — сéренький кóзлик.
Бáбушка кóзлика óчень люби́ла, óчень люби́ла.
Взду́малось кóзлику в лéс погуля́ти,[4] в лéс
    погуля́ти.
Напáли на кóзлика сéрые вóлки, сéрые вóлки.
Остáвили бáбушке рóжки да нóжки.[5]»

Несомнéнно, пéсенка гру́стная. Нó плáкать, конéчно, не нáдо бы́ло. Ведь э́то — пéсня. Это нарóчно,[6] а не на сáмом дéле.[7]

---

[1] плáкать в три́ ручья́ (*idiom*) cry one's heart out

[2] жи́л-бы́л... once upon a time there lived...

[3] вóт кáк that's how (it was)

[4] погуля́ти (*obsolete, folklore infinitive form of* погуля́ть 'go for a walk')

[5] остáвить рóжки да нóжки (*idiom*) destroy something so thoroughly that nothing or almost nothing is left [*cf.* рóжки 'little horns', да 'and', нóжки 'little feet']

[6] нарóчно pretending, not for real; deliberately

[7] на сáмом дéле really, in reality, for real

Безусло́вно, ко́злика жа́лко.[1] Но то́лько[2] он отча́сти сам винова́т: заче́м без спро́су[3] пошёл в лес гуля́ть.

В о́бщем, у Ми́ти всегда́ дрожа́л голосо́к и дёргались губёнки, когда́ он вме́сте с детьми́ пел э́ту пе́сню.

А когда́ Ми́тя доходи́л до гру́стных слов: «Напа́ли на ко́злика се́рые во́лки», — он вся́кий раз залива́лся в три ручья́.[4]

И вот одна́жды де́ти собрали́сь у роя́ля и запе́ли э́ту пе́сню.

Они́ благополу́чно спе́ли две стро́чки. Но когда́ дошли́ до гру́стного ме́ста о том, как ко́злик пошёл в лес, Ми́тя на́чал всхли́пывать.

Ма́ленький Воло́дя, уви́дев[5] э́то, оберну́лся к Ми́те, сде́лал стра́шное лицо́ и наро́чно[6] ужа́сным и гро́мким го́лосом запе́л:

«На-па́-али на-а ко́з-ли-ка се́рые вол-ки...»

Тут Ми́тя, коне́чно, не вы́держал и зарыда́л ещё бо́льше.

Ста́ршая сестра́ сде́лала бра́ту замеча́ние — заче́м он дра́знит Ми́тю.

И на э́то ма́ленький Воло́дя отве́тил:

— А заче́м он бои́тся? Я не хочу́, чтоб он пла́кал и боя́лся. Де́ти должны́ быть хра́брыми.

Ми́тя сказа́л:

— Тогда́ я не бу́ду бо́льше боя́ться.

Де́ти сно́ва запе́ли э́ту пе́сенку. И Ми́тя хра́бро спел её до конца́. И то́лько одна́ слези́нка потекла́ у него́ по щеке́, когда́ де́ти зака́нчивали пе́сенку: «Оста́вили ба́бушке ро́жки да но́жки».

---

[1] ко́злика жа́лко one feels sorry for the baby goat

[2] но то́лько but, still, however

[3] без спро́су without asking (anyone's permission)

[4] залива́ться в три ручья́ (*colloquial, idiom*) cry one's heart out

[5] уви́дев (*past deverbal adverb of* уви́деть) having seen, having noticed

[6] наро́чно deliberately; pretending, not for real

Ма́ленький Воло́дя поцелова́л своего́ мла́дшего брати́шку и сказа́л ему́:

— Во́т тепе́рь молоде́ц.

Покуше́ние на Ле́нина

У Ле́нина бы́ло мно́го враго́в.

У него́ бы́ло мно́го враго́в потому́, что о́н хоте́л за́ново переде́лать всю жи́знь.

5 О́н хоте́л, чтобы все́ лю́ди, кото́рые рабо́тают, жи́ли бы о́чень хорошо́. И о́н не люби́л те́х, кто́ не рабо́тает. О́н про ни́х сказа́л: пу́сть они́ вообще́ ничего́ не ку́шают, е́сли не хотя́т рабо́тать.[1]

Э́то мно́гим не понра́вилось. И враги́ Ле́нина непреме́нно
10 хоте́ли его́ уби́ть.

И они́ подговори́ли одну́ злоде́йку — уби́ть вели́кого вождя́ трудя́щихся, Влади́мира Ильича́ Ле́нина.

Они́ да́ли е́й револьве́р. Заряди́ли э́тот револьве́р ядови́тыми пу́лями. И сказа́ли э́той ме́рзкой злоде́йке: «Иди́
15 на заво́д. Та́м сего́дня Ле́нин бу́дет выступа́ть с ре́чью.[2] И когда́ о́н зако́нчит свою́ ре́чь и вы́йдет из за́ла, ты́ подойди́ к нему́ и вы́стрели в него́ три́ или четы́ре ра́за».

И она́ та́к и сде́лала.[3] Она́ оде́лась в чёрное пла́тье, взяла́ револьве́р и пошла́ на то́т заво́д, где́ выступа́л Ле́нин.

20 И когда́ Ле́нин по́сле ре́чи выходи́л во дво́р, како́й-то челове́к, переоде́тый матро́сом, наро́чно упа́л у вхо́да. И э́тим[4] о́н задержа́л все́х рабо́чих, кото́рые шли́ за Ле́ниным.

И благодаря́ э́тому, Ле́нин оди́н вы́шел во дво́р и оди́н подошёл к автомоби́лю, чтобы в него́ се́сть.

25 Но в э́тот моме́нт же́нщина в чёрном пла́тье подошла́ к Ле́нину совсе́м бли́зко и четы́ре ра́за вы́стрелила в него́.

---

[1] *the exact wording of this historic slogan is* «Кто́ не рабо́тает, то́т не е́ст»

[2] выступа́ть с ре́чью give a speech

[3] та́к и сде́лала that's just what (she) did

[4] э́тим (*Inst. of* э́то) by (doing) this

И из четырёх пу́ль две́ пу́ли попа́ли в Ле́нина. И Ле́нин упа́л, тяжело́[1] ра́ненный.[2] У него́ бы́ло проби́то[3] лёгкое и ра́нена рука́.

Же́нщина бро́силась[4] бежа́ть, но её задержа́ли и отпра́вили в тюрьму́.

Рабо́чие подбежа́ли к Ле́нину. И мно́гие из ни́х пла́кали. Рабо́чие по́дняли Ле́нина и посади́ли его́ в автомоби́ль.

И когда́ автомоби́ль пое́хал, лю́ди сня́ли с Ле́нина пальто́ и пиджа́к и верёвкой перевяза́ли ру́ку, что́бы кро́вь не текла́ та́к си́льно.

Маши́на въе́хала в Кре́мль и останови́лась у подъе́зда ле́нинской кварти́ры.

Тяжело́ ра́ненный, Влади́мир Ильи́ч с огро́мным трудо́м[5] вы́шел из маши́ны, и лю́ди подде́рживали его́, что́бы о́н не упа́л.

Подбежа́ли рабо́чие и хоте́ли понести́ Ле́нина на рука́х в его́ кварти́ру.

Но Ле́нин не позво́лил и́м э́то сде́лать. О́н сказа́л:

— Не́т, не на́до меня́ нести́ на рука́х. Моя́ сестра́ и моя́ жена́ уви́дят, что меня́ несу́т на рука́х, и поду́мают, что мне́ о́чень пло́хо. Не на́до и́х трево́жить.

И всё окружа́ющие порази́лись, что Ле́нин в тако́й стра́шный моме́нт ду́мает не о себе́, а о други́х лю́дях.

И во́т Ле́нин по круто́й ле́стнице са́м подня́лся в[6] тре́тий эта́ж.

Пра́вда,[7] его́ подде́рживали с дву́х сторо́н, но всё-таки о́н шёл са́м.

---

[1] тяжело́ seriously, severely, badly

[2] ра́ненный (*past passive participle of* ра́нить) wounded

[3] проби́тый (*past passive participle of* проби́ть) punctured

[4] бро́ситься бежа́ть (*idiom*) start running, break into a run

[5] с ... трудо́м (*idiom*) with ... difficulty

[6] подня́лся в тре́тий эта́ж (*old-fashioned*) = подня́лся на тре́тий эта́ж

[7] пра́вда (*parenthetical word*) true, it's true that

Тут сразу вызвали лучших врачей. Но врачи сказали, что положение очень тяжёлое, пули отравлены[1] ядом, и может быть заражение крови.

Но прекрасное здоровье Ленина помогло ему
5 поправиться после смертельных ран.

И уже через полтора месяца Владимир Ильич Ленин снова стал работать.

---

[1] отравленный (*past passive participle of* отравить) poisoned

Больны́е

Челове́к — живо́тное дово́льно стра́нное. Нет, навря́д ли оно́ произошло́ от обезья́ны. Стари́к Да́рвин, пожа́луй что[1], в э́том вопро́се слегка́ завра́лся.

О́чень уж у челове́ка посту́пки — соверше́нно, ка́к бы[2] сказа́ть, чи́сто челове́ческие. Никако́го, зна́ете, схо́дства с живо́тным ми́ром. Вот е́сли живо́тные разгова́ривают на како́м-нибудь своём наре́чии, то вря́д ли они́ могли́ бы вести́ таку́ю бесе́ду, ка́к я да́веча[3] слы́шал.

Э́то бы́ло в лече́бнице. На амбулато́рном приёме. Я ра́з в неде́лю по вну́тренним боле́зням лечу́сь. У до́ктора Опу́шкина. Хоро́ший тако́й, понима́ющий ме́дик. Я у него́ пя́тый год лечу́сь. И ничего́,[4] боле́знь не ху́же.

Так вот,[5] прихожу́ в лече́бницу. Запи́сывают меня́ седьмы́м но́мером. Де́лать не́чего[6] — на́до жда́ть.

Вот приса́живаюсь в коридо́ре на дива́не и жду.

И слы́шу — ожида́ющие[7] больны́е про себя́[8] бесе́дуют. Бесе́да дово́льно ти́хая, вполго́лоса, без дра́ки.

Оди́н тако́й дя́дя, дово́льно морда́стый, в коро́тком полупальто́, говори́т своему́ сосе́ду:

— Э́то, — говори́т, — ми́лый ты мой, ра́зве у тебя́ боле́знь

---

[1] пожа́луй что (*colloquial for* пожа́луй) probably

[2] ка́к бы сказа́ть so to speak

[3] да́веча (*archaic colloquial for* на дня́х, неда́вно) the other day

[4] ничего́ it's not bad, it's alright

[5] так вот... so this is how it goes...

[6] де́лать не́чего nothing doing, there's nothing I can do (about that)

[7] ожида́ющий (*present active participle of* ожида́ть 'wait, expect') the waiting patients

[8] про себя́ quietly, in a low voice

— гры́жа. Это плю́нуть и растере́ть[1] — во́т вся́ твоя́ боле́знь. Ты́ не гляди́,[2] что у меня́ мо́рда вы́пуклая. Я́ те́м не ме́нее[3] о́чень больно́й. Я́ по́чками хвора́ю.

Сосе́д не́сколько оби́женным то́ном говори́т:

— У меня́ не то́лько гры́жа. У меня́ лёгкие осла́бшие. И во́т ещё жирови́к о́коло у́ха.

Морда́стый говори́т:

— Это безразли́чно. Эти боле́зни ра́зве мо́гут равня́ться с по́чками!

Вдру́г одна́ ожида́ющая да́ма в ба́йковом платке́ язви́тельно говори́т:

— Ну́, что́ ж, хотя́ бы и[4] по́чки. У меня́ родна́я племя́нница хвора́ла по́чками — и ничего́. Да́же ши́ть и гла́дить могла́. А при[5] ва́шей мо́рде боле́знь ва́ша малоопа́сная. Вы́ не мо́жете помере́ть через[6] э́ту ва́шу боле́знь.

Морда́стый говори́т:

— Я́ не могу́ помере́ть! Вы́ слыха́ли? Она́ говори́т, я́ не могу́ помере́ть через э́ту боле́знь. Мно́го вы́ понима́ете,[7] гражда́нка! А ещё[8] суётесь[9] в медици́нские разгово́ры.

Гражда́нка говори́т:

---

[1] это плю́нуть и растере́ть (*colloquial idiom*) that's nothing, that isn't worth/doesn't mean a thing [*literally,* 'spit on it and rub it off']

[2] не гляди́, что... never mind that...

[3] тем не ме́нее nonetheless

[4] хотя́ бы и... so what if...

[5] при ва́шей мо́рде... with a mug like yours...

[6] через э́ту боле́знь (*colloquial for* из-за э́той боле́зни) from this illness

[7] мно́го вы́ понима́ете hell of a lot *you* understand

[8] а ещё... and still...

[9] суётесь (*non-past of* сова́ться) meddle, butt in

— Я вашу болезнь не унижаю,[1] товарищ. Это болезнь тоже самостоятельная.[2] Я это признаю. А я к тому[3] говорю, что у меня, может,[4] болезнь посерьёзнее, чём ваши разные[5] почки. У меня — рак.

Мордастый говорит:

— Ну, что ж — рак, рак.[6] Смотря какой рак.[7] Другой[8] рак — совершенно безвредный рак. Он может в полгода пройти.

От такого незаслуженного оскорбления гражданка совершенно побледнела и затряслась. Потом всплеснула руками и сказала:

— Рак в полгода. Видали![9] Ну, не знаю, какой это рак ты видел. Ишь морду-то отрастил за свою болезнь.[10]

Мордастый гражданин хотел достойным образом[11] ответить на оскорбление, но махнул рукой[12] и отвернулся.

В это время один ожидающий гражданин усмехнулся и говорит:

— А собственно, граждане, чего[13] вы тут расхвастались?

---

[1] унижать humiliate (*used here to mean* 'put down, knock')

[2] самостоятельный independent (*incorrectly used here to mean* 'important, respectable')

[3] я к тому говорю... I am saying it because...

[4] может (*colloquial for* может быть) perhaps

[5] разные various, all sorts of (*used here to express disdain*)

[6] ну, что ж — рак, рак well, cancer, so what?

[7] смотря какой рак depending what kind of cancer; there's cancer and there's cancer

[8] другой рак some cancers

[9] Видали! (*idiomatic expression of indignation*) Did you hear that?! Who ever heard of such a thing?

[10] морду-то отрастил за свою болезнь (you) fattened up that ugly face of yours while you were sick

[11] достойным образом (*idiom*) in a fitting manner, properly

[12] махнуть рукой (*idiom*) shrug it off

[13] чего (*colloquial for* почему, зачем) why, what for

Больны́е посмотре́ли на говори́вшего[1] и мо́лча[2] ста́ли ожида́ть приёма.

---

[1] говори́вший (*past active participle of* говори́ть 'speak') the person who spoke

[2] мо́лча (*present deverbal adverb of* молча́ть 'be silent') silently, in silence

Операция

Эта маленькая грустная история произошла с товарищем Петюшкой[1] Ящиковым. Хотя, как сказать[2] — маленькая! Человека чуть не зарезали. На операции.

Оно,[3] конечно, до этого далеко было.[4] Прямо[5] очень даже далеко. Да и не такой этот Петька, чтобы мог[6] допустить себя свободно зарезать. Прямо скажем:[7] не такой человек. Но история всё-таки произошла с ним грустная.

Хотя, говоря по совести, ничего такого грустного не происходило. Просто не рассчитал человек. Не сообразил. Опять же, на операцию в первый раз явился. Без привычки.[8]

А началась у Петюшки пшённая болезнь. Верхнее веко у него на правом глазу начало раздувать. И за три года с небольшим[9] раздуло прямо в[10] чернильницу.

Смотался[11] Петя Ящиков в клинику. Докторша ему попалась молодая, интересная особа.

Докторша эта ему говорила:

---

[1] Петюшка *somewhat unusual nickname for* Пётр, Петя

[2] как сказать.. would you really say...? would you really call it...?

[3] оно (*colloquial*) it is true that, the thing is that...

[4] до этого далеко было it didn't come close to that

[5] прямо (*colloquial for* даже) even

[6] не такой,.. чтобы мог... (he is) not the kind (of person) who would...

[7] прямо скажем let's tell the truth

[8] без привычки (*ellipsis for something like* У него не было привычки к операциям 'He wasn't used to going for surgery.')

[9] три года с небольшим a little over three years

[10] в чернильницу (to) the size of an inkwell

[11] смотаться (*slang for* сходить, сбегать) go down to, tool down to

— Ка́к хоти́те. Хоти́те — мо́жно ре́зать. Хоти́те — находи́тесь[1] та́к. Э́та боле́знь не смерте́льная. И не́которые мужчи́ны, не счита́ясь[2] с общепри́нятой нару́жностью, вполне́ привыка́ют ви́деть перед собо́й э́тот набалда́шник.

Одна́ко, красоты́ ра́ди, Петю́шка реши́лся на опера́цию.

Тогда́ веле́ла ему́ до́кторша прийти́ за́втра.

Наза́втра Петю́шка Я́щиков хоте́л бы́ло заскочи́ть[3] на опера́цию сра́зу по́сле рабо́ты. Но по́сле ду́мает:

«Де́ло э́то хотя́ глазно́е и нару́жное,[4] и опера́ция, та́к сказа́ть, не вну́тренняя, но пёс их зна́ет[5] — ка́к бы не[6] приказа́ли костю́м разде́ть.[7] Медици́на — де́ло тёмное. Не заскочи́ть[8] ли, в са́мом де́ле, домо́й — пересня́ть[9] ни́жнюю руба́ху?»

Побежа́л Петю́шка домо́й.

Гла́вное, что до́кторша молода́я. Охо́та была́ Петю́шке пы́ль в глаза́ пусти́ть,[10] — де́скать, хотя́ снару́жи и не осо́бо роско́шный костю́м, но зато́, бу́дьте любе́зны,[11] руба́шечка — чи́стый мадепола́м.

---

[1] находи́ться be located (*here improperly used to mean* 'stay, remain')

[2] счита́ясь *present deverbal adverb of* счита́ться

[3] хоте́л бы́ло заскочи́ть almost decided to run to (the hospital)

[4] *in a more conventional (less colloquial) word order, this would be something like* хотя́ э́то глазно́е и нару́жное де́ло,..

[5] пёс (их) зна́ет (*slang*) you can never tell (with these people)

[6] ка́к бы не приказа́ли... what if they order (me) to...

[7] костю́м разде́ть (*colloquial, substandard for* костю́м сня́ть) take off the suit

[8] не заскочи́ть ли домо́й why don't I stop by at my place

[9] пересня́ть (*colloquial for* перемени́ть, переоде́ть) change

[10] пусти́ть пы́ль в глаза́ (*idiom*) impress, make a good impression [*literally,* 'throw dust in one's eyes']

[11] бу́дьте любе́зны if you please

Одни́м сло́вом,[1] не хоте́л Пе́тя врасплóх попáсть.[2]

Заскочи́л домóй. Наде́л чи́стую рубáху. Ше́ю бензи́ном вы́тер. Рýчки под крáном сполоснýл. Ýсики кве́рху растопы́рил. И покати́лся.

Дóкторша говори́т:

— Вóт э́то операци́óнный стóл. Вóт э́то ланцéт. Вóт э́то вáша пшённая боля́чка. Сейчáс я́ вáм всё э́то сде́лаю. Сними́те сапоги́ и ложи́тесь на э́тот операци́óнный стóл.

Петю́шка слегкá дáже растеря́лся.

«Тó есть,[3] — ду́мает, — пря́мо не предполагáл, что сапоги́ снимáть.[4] Э́то же фóрменное происше́ствие. Óй-ёй, — ду́мает, — носóчки-то[5] у меня́ неинтере́сные. Е́сли не сказáть хýже.»[6]

Нáчал Петю́шка Я́щиков всё-таки свóй ки́тель сдирáть, чтоб, тáк сказáть, уравнове́сить други́е ни́жние недостáтки.

Дóкторша говори́т:

— Ки́тель остáвьте[7] трóгать. Не в гости́нице.[8] Сними́те тóлько сапоги́.

Нáчал Петю́шка хватáться за сапоги́, за свóй джи́мми.

По́сле говори́т:

---

[1] одни́м сло́вом (*idiom*) in a word

[2] врасплóх попáсть unawares (*the narrator is mixing his idioms*: застáть врасплóх 'catch unawares, catch with a hand in the cookie jar' *and* попáсть впросáк 'end up in an embarrassing situation')

[3] тó есть that is, that is to say (*used here to express surprise and embarrassment*)

[4] сапоги́ снимáть (*ellipsis*) = сапоги́ нáдо бýдет снимáть

[5] носóчки-то (носóчек *is diminutive of* носóк 'sock'; -то *is added colloquially at the end of the word for emphasis*) my old socks

[6] е́сли не сказáть хýже to put it mildly

[7] остáвьте (*colloquial for* перестáньте) трóгать "let it alone," "leave off touching it"

[8] не в гости́нице = вы́ не в гости́нице

— Пря́мо, — говори́т, — това́рищ до́кторша, не зна́л, что с нога́ми[1] на́до ложи́ться. Боле́знь глазна́я, ве́рхняя[2] — не предполага́л. Пря́мо, — говори́т, — това́рищ до́кторша, руба́шку перемени́л, а друго́е, извиня́юсь, не тро́гал. Вы́, — говори́т, — на ни́х не обраща́йте внима́ния во вре́мя опера́ции.

Доктор́ша, утомлённая[3] вы́сшим образова́нием, говори́т:

— Ну́, валя́й скоре́й.[4] Вре́мя до́рого.

А сама́[5] сквозь зу́бы хохо́чет.

Та́к и ре́зала ему́ гла́з. Ре́жет и хохо́чет. На но́гу посмо́трит и от сме́ха задыха́ется. А́ж рука́ дрожи́т.

А могла́ бы[6] заре́зать со свое́й[7] дрожа́щей ру́чкой!

Ра́зве мо́жно та́к челове́ческую жи́знь подверга́ть опа́сности?

Но́, ме́жду про́чим, опера́ция ко́нчилась распрекра́сно. И гла́з у Петю́шки тепе́рь без набалда́шника.

---

[1] с нога́ми на́до ложи́ться one has to lie down with one's feet up on the table

[2] ве́рхняя upper (*used here for humorous effect*)

[3] утомлённая (*past passive participle of* утоми́ть) exhausted

[4] валя́й скоре́й go ahead, make it snappy

[5] а сама́... and yet she... and still she...

[6] могла́ бы... (she) could have...

[7] со свое́й ... ру́чкой because of that ... hand of hers

Иностра́нцы

Иностра́нца я всегда́ суме́ю отличи́ть от на́ших
сове́тских гра́ждан. У ни́х, у иностра́нцев, в мо́рде что́-то
зало́жено[1] друго́е. У ни́х мо́рда, ка́к бы сказа́ть, бо́лее го́рдо
и неподви́жно де́ржится, че́м у на́с. Ка́к,[2] ска́жем, взя́то[3] у
ни́х одно́ выраже́ние лица́, та́к и смо́трится[4] э́тим
выраже́нием лица́ на всё остальны́е предме́ты.

Не́которые иностра́нцы для по́лной вы́держки моно́кли в
глаза́х но́сят. Де́скать, э́то стёклышко не уро́ним и не
сморгнём, чего́ бы ни[5] случи́лось.

Э́то, на́до отда́ть справедли́вость,[6] здо́рово.

А то́лько[7] иностра́нцам ина́че нельзя́. У ни́х жи́знь
дово́льно беспоко́йная. Без тако́й вы́держки они́ мо́гут
ужа́сно осрами́ться.

Ка́к, наприме́р, оди́н иностра́нец ко́стью подави́лся.
Ку́рицу, зна́ете, ку́шал и заглота́л ли́шнее.[8] А де́ло
происходи́ло на зва́ном обе́де. Мне́ про э́тот слу́чай оди́н
знако́мый челове́чек из то́ргпре́дства расска́зывал.

---

[1] в мо́рде зало́жено... their mugs express... (зало́женый *is a past
passive participle of* заложи́ть 'put in')

[2] ка́к... та́к и... once (they start doing smt.)..., they (do it all the
time)...

[3] взя́тый (*past passive participle of* взя́ть) taken, accepted, adopted

[4] смо́трится (*non-past form of the passive verb* смотре́ться 'be seen, be
looked at') у них э́тим выраже́нием лица́ на ... предме́ты through this
mask (*Literally*, 'facial expression') they look on the world

[5] чего́ бы ни случи́лось (*substandard for* что́ бы ни случи́лось) no
matter what

[6] на́до отда́ть справедли́вость... one must in all fairness admit...

[7] а то́лько... but it's just that...

[8] заглота́л ли́шнее (*colloquial*) he swallowed something he shouldn't
have

Так де́ло, я́ говорю́, происходи́ло на зва́ном банке́те.
Круго́м, мо́жет,[1] миллионе́ры пришли́. Фо́рд сиди́т на сту́ле.
И ещё ра́зные други́е.

А ту́т, зна́ете, наряду́ с э́тим челове́к кость заглота́л.

5   Коне́чно, с на́шей свобо́дной то́чки зре́ния[2] в э́том
фа́кте ничего́ тако́го оскорби́тельного не́ту.[3] Ну́, проглоти́л
и проглоти́л.[4] У на́с на э́тот счёт[5] дово́льно бы́стро.[6] Ско́рая
по́мощь[7] е́сть. Мари́инская[8] больни́ца. Смоле́нское
кла́дбище.

10 А та́м э́того нельзя́. Та́м уж о́чень избра́нное о́бщество.
Круго́м миллионе́ры расположи́лись. Фо́рд на сту́ле сиди́т.
Опя́ть же[9] фра́ки. Да́мы. Одного́[10] электри́чества гори́т,
мо́жет, бо́льше как[11] на две́сти свече́й.

А ту́т челове́к кость проглоти́л. Сейча́с сморка́ться
15 начнёт. Ха́ркать. За гру́дку хвата́ться. А́х, бо́же мо́й.
Моветóн и чёрт его́ зна́ет что́.[12]

А вы́йти из-за стола́ и побежа́ть в уда́рном поря́дке[13] в
убо́рную — та́м то́же нехорошо́, неприли́чно. «Ага́, — ска́жут,
— побежа́л до ве́тру».[14] А та́м э́того абсолю́тно нельзя́.

---

[1] мо́жет (*colloquial for* мо́жет бы́ть) perhaps

[2] с на́шей ... то́чки зре́ния from our ... point of view

[3] не́ту (*colloquial for* не́т) there isn't/aren't any

[4] проглоти́л и проглоти́л he swallowed it, so what?

[5] на э́тот счёт about that, on that score

[6] У на́с... бы́стро. (*ellipsis for* У на́с... всё происхо́дит бы́стро.) We deal with it right away, we straighten it out fast

[7] ско́рая по́мощь ambulance

[8] Мари́инская, Смоле́нское *proper names of a hospital and a cemetery, respectively*

[9] опя́ть же and then again

[10] одного́ электри́чества... electricity alone...

[11] бо́льше как (*substandard for* бо́льше, че́м) more than

[12] чёрт его́ зна́ет что́ who knows what; the devil knows what; a hell of a mess

[13] в уда́рном поря́дке on an emergency basis; on the double

[14] пойти́ (побежа́ть, *etc.*) до ве́тру (*slang*) head for the bathroom

Так вот[1] этот француз, который кость заглотал, в
первую минуту, конечно, смертельно испугался. Начал
было[2] в горле копаться. После ужасно побледнел.
Замотался на своём стуле. Но сразу взял себя в руки.[3] И
через минуту заулыбался. Начал дамам посылать разные
воздушные поцелуи.[4] Начал, может, хозяйскую собачку под
столом трепать.

Хозяин до него[5] обращается по-французски.

— Извиняюсь, — говорит, — может, вы чего-нибудь
действительно заглотали несъедобное? Вы, — говорит, — в
крайнем случае, скажите.

Француз отвечает:

— Коман?[6] В чём дело?[7] Об чём речь?[8] Извиняюсь,
говорит, у меня всё в порядке.

И начал опять воздушные улыбки посылать.[9] После на
бламанже налёг. Скушал порцию.

Одним словом, досидел до конца обеда и никому виду
не показал.[10]

Только когда встали из-за стола, он слегка покачнулся
и за брюхо рукой взялся — наверное, кольнуло. А потом
опять ничего.

---

[1] так вот so

[2] начал было... he almost started to...

[3] взять себя в руки (*idiom*) control one's feelings

[4] послать воздушный поцелуй blow a kiss

[5] до него (*dialectal or substandard for* к нему) to him

[6] коман? (*hardly ever used in Russian — from the French "comment?"*) what?

[7] в чём дело? (*idiom*) what's the matter?

[8] об чём речь? (*substandard for* о чём речь?) what are you talking about?

[9] послать воздушную улыбку (*Zoshchenko's invention*) "blow a smile"

[10] виду не показать not to let on, not to let it show

Посиде́л в гости́ной мину́ты три[1] для прили́чия и пошёл в пере́днюю.

Да и[2] в пере́дней не осо́бо торопи́лся, с хозя́йкой побесе́довал, за ру́чку подержа́лся, за гало́шами под сто́л ныря́л вме́сте со свое́й ко́стью. И о́тбыл.

Ну́, на ле́стнице, коне́чно, поднажа́л.

Бро́сился в сво́й экипа́ж.

— Вези́, — кричи́т, — кури́ная мо́рда,[3] в приёмный поко́й.[4]

Подо́х ли э́тот францу́з и́ли о́н вы́жил, — я не могу́ ва́м э́того сказа́ть, не зна́ю. Наве́рное, вы́жил. На́ция дово́льно живу́чая.

---

[1] мину́ты три́ about three minutes, a couple of minutes

[2] да и and even (there)

[3] кури́ная мо́рда (*Zoshchenko's invention*) you chicken face

[4] приёмный поко́й emergency room

Лимона́д

Я, коне́чно, челове́к непью́щий. Е́жели[1] друго́й ра́з[2] и вы́пью, то ма́ло — та́к,[3] прили́чия ра́ди или сла́вную компа́нию поддержа́ть.

5 Бо́льше как[4] две́ буты́лки мне́ вра́з нипочём не употреби́ть. Здоро́вье не позволя́ет. Оди́н ра́з, по́мню, в де́нь своего́ бы́вшего а́нгела,[5] я́ че́тверть вы́кушал.[6]

Но́ э́то бы́ло в молоды́е, кре́пкие го́ды, когда́ се́рдце отча́янно в груди́ би́лось и в голове́ мелька́ли ра́зные мы́сли.

10 А тепе́рь старе́ю.

Знако́мый ветерина́рный фе́льдшер, това́рищ Пти́цын, да́веча[7] осма́тривал меня́ и да́же, зна́ете, испуга́лся. Задрожа́л.

— У ва́с, — говори́т, — по́лная девальва́ция.[8] Где́, — говори́т,
15 — пе́чень, где́ мочево́й пузы́рь, распозна́ть, — говори́т, — не́т никако́й возмо́жности. О́чень, — говори́т, — вы́ сноси́лись.

Хоте́л я́ э́того фе́льдшера поби́ть, но́ по́сле осты́л к нему́.

«Да́й,[9] — ду́маю, — сперва́ к хоро́шему врачу́ схожу́, удостове́рюсь.»

---

[1] е́жели... и (*colloquial for* е́сли... и) even if

[2] друго́й ра́з once in a while

[3] та́к not seriously

[4] бо́льше как (*colloquial for* бо́льше, чем) more than

[5] в де́нь своего́ бы́вшего а́нгела on my "former" name-day (*i.e. his saint's day; "former" because the revolution "abolished" saints*)

[6] вы́кушать (*slang for* вы́пить *and archaic colloquial for* съе́сть) drink, consume; eat

[7] да́веча (*archaic colloquial for* неда́вно, на дня́х) the other day

[8] девальва́ция devaluation (*normally used only in reference to currency*)

[9] да́й let me, why don't I

Врач никакой девальвации не нашёл.

— Органы, — говорит, — у вас довольно в аккуратном виде.[1] И пузырь, — говорит, — вполне порядочный и не протекает. Что касается[2] сердца, то сердце очень ещё отличное, даже, — говорит, — шире, чем надо. Но, — говорит, — пить вы перестаньте, иначе очень просто смерть может приключиться.

А помирать, конечно, мне неохота. Я жить люблю. Я человек ещё молодой. Мне только-только в начале НЭПа сорок три года стукнуло. Можно сказать, в полном расцвете сил и здоровья. И сердце в груди широкое. И пузырь, главное, не протекает. С таким пузырём жить да радоваться.[3] «Надо, — думаю, — в самом деле[4] пить бросить». Взял[5] и бросил.

Не пью и не пью. Час не пью, два не пью. В пять часов вечера пошёл, конечно, обедать в столовую.

Покушал суп. Начал варёное мясо кушать — охота выпить.

«Заместо,[6] — думаю, — острых[7] напитков попрошу чего-нибудь помягче — нарзану или же лимонаду».

Зову:

— Эй, — говорю, — который[8] тут мне порции подавал, неси мне, куриная твоя голова,[9] лимонаду.

---

[1] в аккуратном виде in tidy condition

[2] что касается... as for...

[3] жить да радоваться (*idiom*) live life to its fullest

[4] в самом деле (*idiom*) really

[5] взять и... up and...(*as in* 'He up and quit.')

[6] заместо (*substandard for* вместо) instead of

[7] острый напиток (*incorrect for* крепкий напиток; *cf.* острое блюдо 'spicy dish') alcoholic beverage

[8] который (*colloquial for* тот, кто) you, the one that (served me)

[9] куриная твоя голова (*probably Zoshchenko's invention*) you chicken head

28

Прино́сят, коне́чно, мне́ лимона́д на интеллиге́нтном подно́се. В графи́не. Налива́ю в сто́пку.

Пью я́ э́ту сто́пку, чу́вствую: кажи́сь, во́дка. Нали́л ещё. Ей-бо́гу, во́дка. Что́ за чёрт![1] Нали́л оста́тки — са́мая
5 настоя́щая во́дка.

— Неси́, — кричу́, — ещё!

«Во́т, — ду́маю, — попёрло-то!»[2]

Прино́сит ещё.

Попро́бовал ещё. Никако́го сомне́ния не оста́лось —
10 са́мая нату́ра́льная.

По́сле,[3] когда́ де́ньги заплати́л, замеча́ние всё-таки сде́лал.

— Я́, — говорю́, — лимона́ду проси́л, а ты́ чего́ но́сишь, кури́ная твоя́ голова́?

15 То́т[4] говори́т:

— Та́к что э́то[5] у на́с[6] завсегда́ лимона́дом зовётся. Вполне́ зако́нное сло́во. Ещё с пре́жних времён...[7] А нату́ра́льного лимона́ду, извиня́юсь, не де́ржим — потреби́теля не́ту.[8]

20 — Неси́, — говорю́, — ещё после́днюю.

Та́к и не́[9] бро́сил. А жела́ние бы́ло горя́чее. То́лько во́т[10] обстоя́тельства помеша́ли. Ка́к говори́тся — жи́знь дикту́ет свои́ зако́ны. На́до подчиня́ться.

---

[1] Что́ за чёрт! What's going on here?

[2] Во́т попёрло-то! (*slang*) it (i.e., vodka) is coming like a tidal wave

[3] по́сле (*colloquial for* по́зже, пото́м) afterwards, later

[4] то́т he; the other one

[5] та́к что э́то... it's just that it...

[6] у на́с = в на́шей столо́вой

[7] пре́жние времена́ "the olden days" (*here referring to pre-revolutionary time*)

[8] не́ту (*colloquial for* не́т) there isn't/aren't any

[9] та́к и не... I never did...

[10] то́лько вот... it's just that...

Си́льное сре́дство

Говоря́т, про́тив алкого́ля наилу́чше[1] де́йствует иску́сство. Теа́тр, наприме́р, карусе́ль. Или кака́я-нибудь сту́дия с му́зыкой.

Всё э́то, говоря́т, отвлека́ет челове́ка от вы́пивки с заку́ской.

И, действи́тельно, гра́ждане, взять для приме́ру[2] хотя́ бы на́шего сле́саря Петра́ Анто́новича Коленко́рова. Челове́к пропада́л буква́льно и персона́льно.[3] И вообще́ жил, как после́дняя ку́рица.[4]

По бу́дням по́сле рабо́ты ел и жрал. А по пра́здникам и по воскре́сным дням напива́лся Пётр Анто́нович до кра́йности. Беспреде́льно напива́лся.

И в пья́ном ви́де дра́лся, вола́ верте́л[5] и вообще́ пья́ные эксце́ссы устра́ивал. И домо́й лёжа[6] возвраща́лся.

И уж, коне́чно, за всю неде́лю никако́й ку̀льтрабо́ты не нёс[7] э́тот Пётр Анто́нович. Ра́зве что[8] в суббо́ту в ба́ньку схо́дит, пополо́щется. Вот вам и вся ку̀льтрабо́та.[9]

---

[1] наилу́чше (*substandard for* наилу́чшим о́бразом, лу́чше всего́) best

[2] для приме́ру (*colloquial variant of* к приме́ру, наприме́р) for example

[3] пропада́л буква́льно и персона́льно was on his way to ruin, literally and from the personal point of view (*a slightly odd, though very suggestive turn of phrase*)

[4] *a more common variant:* как после́дняя соба́ка like some wretched dog

[5] вола́ верте́ть (*colloquial idiom*) make trouble

[6] лёжа (*present deverbal adverb of* лежа́ть 'lie down') *here means* 'on all fours'

[7] нести́ ку̀льтрабо́ту *is a distortion of* вести́ ку̀льтрабо́ту 'do the good work, spread the culture and the values of the civilized world'

[8] ра́зве что perhaps only, perhaps merely

[9] вот вам и вся ку̀льтрабо́та that was his entire educational activities

Родны́е Петра́ Анто́новича от тако́го поведе́ния си́льно расстра́ивались. Стращáли[1] да́же.

— Пётр, — говоря́т, — Анто́нович. Челове́к вы́ квалифици́рованный,[2] не пе́рвой све́жести,[3] ну́, ма́ло ли[4] в
5 пья́ном ви́де трю́хнетесь[5] об ту́мбу — разобьётесь же. Пе́йте не́сколько поле́гче. Сде́лайте тако́е семе́йное одолже́ние.

Не слу́шает. Пьёт по-пре́жнему и весели́тся.

Наконе́ц нашёлся оди́н доброду́шный челове́к с месткóма.[6] Óн, зна́ете ли, та́к и сказа́л Петру́ Анто́новичу:

10 — Пётр, — говори́т, — Анто́нович, отвлека́йтесь,[7] я́ ва́м говорю́, от алкого́лю.[8] Ну́, говори́т, попро́буйте заме́сто[9] того́ в теа́тр ходи́ть по воскре́сным дня́м. Прошу́ ва́с че́стью и биле́т ва́м дарма́[10] предлага́ю.

Пётр Анто́нович говори́т:

15 — Éжели, — говори́т, — дарма́, то попро́бовать мо́жно, отчего́ же.[11] От э́того, говори́т, не разорю́сь, е́жели то́ есть[12] дарма́.

Упроси́л, одни́м сло́вом.

---

[1] стращáть (*dialectal or substandard; the standard verb is* пуга́ть) frighten; threaten; try to scare

[2] квалифици́рованный qualified, skilled (*here used to mean* 'mature')

[3] не пе́рвой све́жести (*idiom*) not so young, no spring chicken

[4] ма́ло ли what if

[5] трю́хнуться (*slang variant of* тра́хнуться) hit, bump into

[6] с месткóма (*dialectal or substandard for* из месткóма) from the local trade union board

[7] отвлека́ться digress (*used facetiously here to mean* 'drop, quit')

[8] алкого́лю *colloquial, substandard Genitive form of* алкого́ль; *the standard form is* алкого́ля

[9] заме́сто (*dialectal or substandard variant of* вме́сто) instead of

[10] дарма́ (*colloquial variant of* да́ром) free of charge, for free

[11] отчего́ же why not

[12] то́ есть that is, i.e.

Пошёл Пётр Анто́нович в теа́тр. Понра́вилось. До того[1] понра́вилось — уходи́ть не хоте́л. Теа́тр уже́, зна́ете око́нчился, а о́н, голу́бчик, всё сиди́т и сиди́т.

— Куда́ же, — говори́т, — я́ тепе́рича[2] пойду́, на́ ночь
5 гля́дя?[3] Небо́сь, говори́т, все по́ртерные закры́ты уж. Йшь, — говори́т, — дья́волы, в како́е предприя́тие втрави́ли!

Одна́ко полома́лся, полома́лся[4] и пошёл домо́й. И тре́звый, зна́ете ли, пошёл. То́ есть ни в одно́м глазу́.[5]

На друго́е воскресе́нье опя́ть пошёл. На тре́тье — са́м в
10 местко́м за биле́том сбе́гал.

И что́ вы́ ду́маете? Увлёкся челове́к теа́тром. То́ есть пе́рвым театра́лом в райо́не ста́л. Как зави́дит[6] театра́льную афи́шу — дрожи́т ве́сь. Пи́ть бро́сил по воскресе́ньям. По суббо́там ста́л пи́ть. А ба́ню перенёс на четве́рг.

15 А после́днюю суббо́ту,[7] находя́сь[8] под му́хой, разби́лся Пётр Анто́нович об ту́мбу и в воскресе́нье в теа́тр не пошёл. Это бы́ло[9] еди́нственный ра́з за ве́сь сезо́н, когда́ Пётр Анто́нович пропусти́л спекта́кль. К сле́дующему воскресе́нью, небо́сь, попра́вится и пойдёт. Потому́[10] —
20 захвати́ло челове́ка иску́сство. Понесло́.

---

[1] до того́ so much

[2] тепе́рича (*dialectal or substandard for* тепе́рь) now

[3] на́ ночь гля́дя (*idiom*) late in the day, when it's almost night

[4] полома́лся, полома́лся (*duplication of the verb* лома́ться 'be stubborn' + *the prefix* по- 'a bit, for a little while') he continued being stubborn for a while

[5] ни в одно́м глазу́ (*idiom*) sober as a judge

[6] как зави́дит... as soon as he would see...

[7] после́днюю суббо́ту (*colloquial for* в про́шлую суббо́ту) last Saturday

[8] находи́ться/бы́ть под му́хой (*colloquial idiom*) be under the influence (of alcohol)

[9] это бы́ло еди́нственный ра́з (*colloquial for* э́то бы́л еди́нственный ра́з)

[10] потому́ (*colloquial for* потому́ что) because

Кóшка и лю́ди

Пéчка у меня́ óчень плоха́я. Вся́ моя́ семья́ завсегда́[1] угора́ет через[2] неё. А чёртов жа́кт почи́нку производи́ть отка́зывается. Эконóмит. Для очередно́й растра́ты.

Да́веча[3] осма́тривали э́ту мою́ пéчку. Вью́шки гляде́ли. Ныря́ли туда́ вовну́трь головóй.[4]

— Нéту,[5] — говоря́т. — Жи́ть мóжно.[6]

— Това́рищи, — говорю́, — довóльно сты́дно таки́е слова́ произноси́ть: жи́ть мóжно. Мы́ завсегда́ угора́ем через э́ту ва́шу пéчку. Да́веча кóшка да́же угоре́ла. Её тошни́ло да́веча у ведра́. А вы́ говори́те — жи́ть мóжно.

Председа́тель жа́кта говори́т:

— Тогда́ устрóим сейча́с óпыт и посмóтрим, угора́ет[7] ли ва́ша пéчка. Éжли[8] мы́ сейча́с пóсле тóпки угори́м — ва́ше сча́стье[9] — перелóжим. Éжли не угори́м — извиня́емся за отопле́ние.

Затопи́ли мы́ пéчку. Расположи́лись вокру́г её.[10]

Сиди́м. Ню́хаем.

---

[1] завсегда́ (*dialectal or substandard for* всегда́) always

[2] через + Accusative (*dialectal or substandard for* из-за + Genitive) because of

[3] да́веча (*archaic colloquial for* неда́вно, на дня́х) the other day

[4] ныря́ли... головóй stuck their heads in there

[5] нéту (*colloquial for* нéт) there isn't, there aren't (*here used to mean* 'there are no problems')

[6] Жи́ть мóжно. (*idiom*) It's alright. [*literally,* 'One can live (with this)']

[7] угора́ть get carbon monoxide poisoning (*here used incorrectly as if the stove were a victim*)

[8] éжли (*also* éжели; *colloquial for* éсли) if

[9] ва́ше сча́стье (*idiom*) you're in luck

[10] её (*colloquial for* неё) it; her

Та́к,[1] у вью́шки, сёл председа́тель, та́к — секрета́рь
Грибое́дов, а та́к, на мое́й крова́ти — казначе́й.

Вско́ре ста́л, коне́чно, уга́р по ко́мнате проноси́ться.

Председа́тель поню́хал и говори́т:

— Не́ту. Не ощуща́ется. Идёт тёплый ду́х и то́лько.[2]

Казначе́й, жа́ба, говори́т:

— Вполне́ отли́чная атмосфе́ра. И ню́хать её мо́жно.
Голова́ через[3] э́то не ослабева́ет. У меня́, — говори́т, — в
кварти́ре атмосфе́ра ху́же воня́ет, и я́, — говори́т, — не скулю́
понапра́сну. А ту́т соверше́нно ду́х ро́вный.[4]

Я́ говорю́:

— Да ка́к[5] же, поми́луйте, — ро́вный. Э́вон, как[6] га́з
струи́тся.

Председа́тель говори́т:

— Позови́те ко́шку. Е́жели[7] ко́шка бу́дет сми́рно сиде́ть,
зна́чит ни хрена́ не́ту. Живо́тное завсегда́ в э́том
бескоры́стно. Э́то не челове́к. На неё мо́жно положи́ться.

Прихо́дит ко́шка. Сади́тся на крова́ть. Сиди́т ти́хо. И,
я́сное де́ло, ти́хо — она́ не́сколько привы́кшая.[8]

— Не́ту, — говори́т председа́тель, — извиня́емся.

Вдру́г казначе́й покачну́лся на крова́ти и говори́т:

— Мне́ на́до, зна́ете, спе́шно идти́ по де́лу.

---

[1] та́к,.. та́к,.. та́к,.. here,.. there,.. and over there...

[2] ... и то́лько. ... that's all.

[3] через + Accusative (*dialectal or substandard for* из-за + Genitive)
because of

[4] ро́вный level, even (*here colloquially used to mean* 'regular, normal')

[5] ка́к же... how is it.., how can you say that...

[6] э́вон, как (*slang for* во́т как, во́н как) there, see how (it blows)

[7] е́жели (*colloquial for* е́сли) if

[8] привы́кший (*past active participle of* привы́кнуть) accustomed;
conditioned

И сам[1] подходит до[2] окна и в щёлку дышит.

И сам стоит зелёный и прямо[3] на ногах качается.

Председатель говорит:

— Сейчас всё[4] пойдём.

5 Я оттянул его от окна.

— Так, — говорю, — нельзя экспертизу строить.[5]

Он говорит:

— Пожалуйста.[6] Могу отойти. Мне ваш воздух вполне полезный. Натуральный воздух, годный для здоровья.

10 Ремонта я вам не могу делать. Печка нормальная.

А через полчаса, когда этого самого председателя ложили[7] на носилки и затем задвигали носилки в карету скорой помощи,[8] я опять с ним разговорился.

Я говорю:

15 — Ну как?[9]

— Да нет, — говорит, — не будет ремонта. Жить можно. Так и не[10] починили.

Ну что ж делать? Привыкаю. Человек не блоха — ко всему может привыкнуть.

---

[1] сам himself (*used here for contrast to mean that the treasurer says one thing but does something different*)

[2] до окна (*dialectal or substandard for* к окну) to the window

[3] прямо (*colloquial for* даже) even

[4] всё = мы всё

[5] строить экспертизу (*incorrect for* проводить экспертизу) conduct an experiment, make an examination

[6] пожалуйста OK, alright

[7] ложить (*dialectal or substandard for* класть) put, place, lay

[8] карета скорой помощи ambulance

[9] Ну как? So? What do you say?

[10] так и не... (they) didn't... after all, (they) never did

Ле́тняя переды́шка

Коне́чно, заиме́ть[1] со́бственную отде́льную кварти́рку —
э́то всё-таки ка́к-ника́к меща́нство.

На́до жи́ть дру́жно, коллекти́вной семьёй, а не запира́ться
в свое́й дома́шней кре́пости.

На́до жи́ть в коммуна́льной кварти́ре. Та́м всё на лю́дях.[2]
Е́сть с ке́м поговори́ть.[3] Посове́товаться. Подра́ться.

Коне́чно, име́ются свои́ недочёты.

Наприме́р, электри́чество даёт неудо́бства.

Не зна́ешь, ка́к рассчи́тываться. С кого́[4] ско́лько бра́ть.

Коне́чно, в дальне́йшем, когда́ на́ша промы́шленность
развернётся, тогда́ мо́жно бу́дет ка́ждому жильцу́ в ка́ждом
углу́ поста́вить хотя́[5] по два́ счётчика. И тогда́ пуща́й[6] са́ми
счётчики определя́ют отпу́щенную[7] эне́ргию. И тогда́,
коне́чно, жи́знь в на́ших кварти́рах засия́ет, ка́к со́лнце.

Ну́, а пока́, действи́тельно, име́ем[8] сплошно́е неудо́бство.

Для приме́ру,[9] у на́с де́вять семе́й. Оди́н про́вод. Оди́н
счётчик. В конце́ ме́сяца на́до к расчёту стро́иться.[10] И

---

[1] заиме́ть (*colloquial for* получи́ть, приобрести́) get, acquire

[2] на лю́дях in the open, not concealed

[3] е́сть с ке́м ... you have someone to (talk) with

[4] с кого́ ско́лько бра́ть how much to charge per person/tenant

[5] хотя́ (*colloquial for* хотя́ бы) even; as many as

[6] пуща́й (*colloquial for* пуска́й, пу́сть) let (the meters figure out...)

[7] отпу́щенная (*past passive participle of* отпусти́ть 'designate; expend; distribute') expended

[8] име́ем ... неудо́бство (*formal or bureaucratic*) an ... inconvenience is in evidence

[9] для приме́ру (*colloquial for* к приме́ру, наприме́р) for example

[10] к расчёту стро́иться time for a roll call

тогда́, коне́чно, происхо́дят си́льные недоразуме́ния и друго́й ра́з[1] мордобо́й.

Ну́, хорошо́, вы́ ска́жете: счита́йте с[2] ла́мпочки.

Ну́, хорошо́, с ла́мпочки. Оди́н созна́тельный жиле́ц ла́мпочку-то,[3] мо́жет, на пя́ть мину́т зажига́ет, чтоб разде́ться или блоху́ пойма́ть. А друго́й жиле́ц до двена́дцати но́чи чего́-то та́м жуёт[4] при[5] све́те. И электри́чество гаси́ть не хо́чет. Хотя́ ему́ не узо́ры писа́ть.[6]

Тре́тий найдётся тако́й, без сомне́ния интеллиге́нт, кото́рый в кни́жку гляди́т буква́льно до ча́су но́чи и бо́льше, не счита́ясь[7] с о́бщей обстано́вкой.

Да, мо́жет бы́ть, ещё ла́мпочку перевёртывает[8] на бо́лее я́сную. И а́лгебру чита́ет, что́[9] днём.

Да закры́вшись[10] ещё в свое́й берло́ге, мо́жет, то́т же интеллиге́нт на электри́ческой ви́лке[11] кипято́к кипяти́т[12] или макаро́ны ва́рит. Э́то же понима́ть на́до!

Оди́н у на́с тако́й бы́л жиле́ц — гру́зчик, так[13] о́н буква́льно свихну́лся на э́той по́чве.[14] О́н спа́ть переста́л и

---

[1] друго́й ра́з (*colloquial for* иногда́) sometimes

[2] счита́йте с (+ *Genitive*) charge per...

[3] -то (*particle added for emphasis and colloquial style*)

[4] жуёт (*non-past form of* жева́ть) munch

[5] при све́те with the light on

[6] ему́ не узо́ры писа́ть (*Dative + не + Infinitive means* 'it's not as if he/she *etc.* needs to...') it's not as if he's doing needlepoint

[7] счита́ясь *present deverbal adverb of* счита́ться

[8] перевёртывать turn around (*here colloquially used to mean* 'change, replace')

[9] что́ (*colloquial for* ка́к) like

[10] закры́вшись (*past active participle of* закры́ться 'shut oneself/itself') after locking up the door

[11] ви́лка fork; electrical plug; immersion boiler

[12] кипято́к кипяти́ть (*colloquial for* кипяти́ть во́ду) boil water

[13] так (*colloquially used for* и; *describes a logical connection*)

[14] на э́той по́чве over this, because of this, on these grounds

всё добива́лся,[1] кто́ из жильцо́в по ноча́м а́лгебру чита́ет и кто́ на ви́лках проду́кты гре́ет. И не ста́ло челове́ка. Свихну́лся.

И по́сле того́ как о́н свихну́лся, его́ ко́мнату заиме́л[2] его́ ро́дственник. И во́т тогда́ и начала́сь фо́рменная вакхана́лия.

Ка́ждый ме́сяц у на́с набега́ло по счётчику, ну́, не бо́лее двена́дцати целко́вых. Ну́, в са́мый захуда́лый ме́сяц, ну́, трина́дцать. Э́то, коне́чно, при контро́ле жильца́, кото́рый свихну́лся. У него́ контро́ль о́чень хорошо́ бы́л поста́влен.[3] О́н, я говорю́, буква́льно но́чи не спа́л и ка́ждую мину́ту реви́зию де́лал. То́[4] сюда́ зайдёт, то́ туда́. И всё[5] грози́л, что топоро́м разру́бит, е́сли найдёт изли́шки. Ещё удиви́тельно,[6] как други́е жильцы́ с ума́ не свихну́лись от тако́й жи́зни.

Так во́т, име́ли в ме́сяц не свы́ше двена́дцати рубле́й.

Вдру́г име́ем шестна́дцать. Пардо́н! В чём де́ло?[7] Э́то кака́я же соба́ка[8] наверте́ла тако́е коли́чество? Или э́то ви́лка, или гре́лка, или ещё что́.

Поруга́лись, поруга́лись,[9] но́ заплати́ли.

Через ме́сяц име́ем обра́тно[10] шестна́дцать.

Кото́рые[11] че́стные жильцы́, те́ пря́мо говоря́т:

---

[1] всё (*colloquial for* всё вре́мя) all the time; добива́лся tried to find out

[2] заиме́л (*colloquial for* получи́л) got

[3] поста́влен (*past passive participle of* поста́вить 'set up, institute; put, place') set up

[4] то́... то́... first... then...

[5] всё (*colloquial for* всё вре́мя) all the time

[6] ещё удиви́тельно, как... under the circumstances, it is surprising that...

[7] В чём де́ло? What's going on?

[8] э́то кака́я же соба́ка ..? who the hell ..?

[9] поруга́лись, поруга́лись, но́... we quarrelled for a while but paid anyway

[10] обра́тно (*dialectal or substandard for* опя́ть) again

[11] кото́рые... (*colloquial for* те́, кто) those who...

— Неинтере́сно жи́ть. Мы́ бу́дем, ка́к подлецы́, эконо́мить, а други́е то́ку не жале́ют. Тогда́ и мы́ не бу́дем жале́ть. Тогда́ и мы́ бу́дем ви́лки зажига́ть и макаро́ны стря́пать.

Че́рез ме́сяц мы́ име́ли по счётчику девятна́дцать.

5 А́хнули жильцы́, но всё-таки заплати́ли и на́чали навора́чивать. Све́т не ту́шат. Рома́ны чита́ют. И ви́лки зажига́ют.

Че́рез ме́сяц име́ли два́дцать ше́сть.

И тогда́ начала́сь по́лная вакхана́лия.

10 Одни́м сло́вом, когда́ докрути́ли счётчик до тридцати́ восьми́ рубле́й, тогда́ пришло́сь прекрати́ть эне́ргию. Всё отказа́лись плати́ть. Оди́н интеллиге́нт то́лько умоля́л и за про́вод цепля́лся, но с ни́м не посчита́лись. Обре́зали. Коне́чно, э́то сде́лали вре́менно. Никто́ не про́тив
15 электрифика́ции. На о́бщем собра́нии та́к и заяви́ли: де́скать, никто́ не про́тив и в дальне́йшем похлопо́чем и включи́мся в се́ть. А пока́ и та́к ла́дно.[1] Де́ло те́м бо́лее к весне́.[2] Светло́. А та́м ле́то.[3] Пти́чки пою́т. И све́т ни к чему́.[4] Не узо́ры писа́ть. Ну́, а зимо́й — та́м ви́дно бу́дет.[5] Зимо́й,
20 мо́жет, сно́ва включи́м электри́ческую тя́гу.[6] Или контро́ль устро́им, или ещё что́.

А пока́ на́до ле́том отдохну́ть. Уста́ли от э́тих кварти́рных дело́в.[7]

---

[1] а пока́ и та́к ла́дно but for now it's OK as it is

[2] де́ло... к весне́ (*elliptical for* де́ло идёт к весне́) spring is coming

[3] А та́м ле́то. And then it's going to be summer.

[4] све́т ни к чему́ light is not necessary

[5] та́м ви́дно бу́дет then we'll see

[6] тя́га towing power (*incorrectly used here with* электри́ческая *to mean* 'electrical power')

[7] дело́в (*substandard, colloquial Genitive plural form of* де́ло; *the regular form is* де́л)

Баня

Говоря́т, гра́ждане, в Аме́рике ба́ни о́чень отли́чные.

Туда́, наприме́р, граждани́н придёт, ски́нет бельё в осо́бый я́щик и пойдёт себе́[1] мы́ться. Беспоко́иться да́же не бу́дет — мол, кра́жа или пропа́жа,[2] номерка́ да́же не возьмёт.

Ну́, мо́жет,[3] ино́й беспоко́йный америка́нец и[4] ска́жет ба́нщику:

— Гу́т ба́й, де́скать, присмотри́.

То́лько и всего́.[5]

Помо́ется э́тот америка́нец, наза́д придёт, а ему́ чи́стое бельё подаю́т — сти́раное и гла́женое. Портя́нки, небо́сь, беле́е сне́га. Подштaнники заши́ты, запла́таны. Житьи́шко!

А у нас ба́ни то́же ничего́.[6] Но́ ху́же. Хотя́ то́же мы́ться мо́жно.

У нас то́лько с номерка́ми беда́. Про́шлую суббо́ту[7] я́ пошёл в ба́ню (не е́хать же,[8] ду́маю, в Аме́рику), — даю́т два́ номерка́. Оди́н за бельё, друго́й за пальто́ с ша́пкой.

---

[1] себе́ (*colloquially used after a verb to emphasize the subject's independence in performing the action*)

[2] Беспоко́иться... не бу́дет — мол, кра́жа или пропа́жа (*colloquial*) He won't... worry about his clothes being stolen or lost.

[3] мо́жет (*colloquial for* мо́жет бы́ть) perhaps

[4] ... и ска́жет (и *used for emphasis*) ... might say

[5] то́лько и всего́ and that's that

[6] ничего́ not bad, alright

[7] про́шлую суббо́ту (*colloquial*) = в про́шлую суббо́ту

[8] не е́хать же... why should one go... I can't go...

А го́лому челове́ку куда́ номерки́ де́ть?[1] Пря́мо
сказа́ть[2] — не́куда. Карма́нов не́ту. Круго́м[3] живо́т да но́ги.
Гре́х оди́н[4] с номера́ми. К бороде́ не привя́жешь.[5]

Ну́, привяза́л я́ к нога́м по номерку́, чтоб не вра́з
потеря́ть. Вошёл в ба́ню.

Номерки́ тепе́рича[6] по нога́м хло́пают. Ходи́ть ску́чно. А
ходи́ть на́до. Потому́[7] ша́йку на́до. Без ша́йки како́е же
мытьё? Гре́х оди́н.

Ищу́ ша́йку. Гляжу́, оди́н граждани́н в трёх ша́йках
мо́ется. В одно́й стои́т, в друго́й башку́ мы́лит, а тре́тью
ша́йку ле́вой руко́й приде́рживает, чтоб не спёрли.

Потяну́л я тре́тью ша́йку, хоте́л, между про́чим, её себе́
взя́ть, а граждани́н не выпуща́ет.[8]

— Ты́ что́ ж э́то,[9] — говори́т, — чужи́е ша́йки вору́ешь?
Ка́к ля́пну,[10] — говори́т, — тебя́ ша́йкой ме́жду гла́з — не
зара́дуешься.[11]

Я́ говорю́:

---

[1] го́лому челове́ку куда́ ... де́ть where can a naked person put ...

[2] пря́мо сказа́ть to tell you the truth, to tell you straight

[3] Круго́м живо́т да но́ги. All you have is your stomach and legs.

[4] гре́х оди́н (*idiom*) this is all wrong, nothing but trouble

[5] не привя́жешь you can't tie it...

[6] тепе́рича (*dialectal or substandard for* тепе́рь) now

[7] потому́ (*colloquial for* потому́ что) because

[8] выпуща́ть (*dialectal or substandard for* выпуска́ть) let go

[9] Ты́ что́ ж э́то? What's the matter with you?

[10] ка́к ля́пну (*slang*) I'll smash you

[11] не зара́дуешься (*colloquial*) you are not going to enjoy it, you'll be sorry

— Не ца́рский, — говорю́, — режи́м,[1] ша́йками ля́пать. Эгои́зм, — говорю́, — како́й.[2] На́до же, говорю́, и други́м помы́ться. Не в теа́тре,[3] говорю́.

А о́н за́дом поверну́лся и мо́ется.

«Не стоя́ть[4] же, — ду́маю, — над его́ душо́й.[5] Тепе́рича, — ду́маю, — о́н наро́чно три́ дня́ бу́дет мы́ться».

Пошёл да́льше.

Через ча́с гляжу́, како́й-то дя́дя зазева́лся, вы́пустил из ру́к ша́йку. За мы́лом нагну́лся или замечта́лся — не зна́ю. А то́лько[6] ту́ю[7] ша́йку я́ взя́л себе́.

Тепе́рича и[8] ша́йка е́сть, а се́сть не́где. А сто́я[9] мы́ться — како́е же мытьё? Гре́х оди́н.

Хорошо́. Сто́ю сто́я,[10] держу́ ша́йку в ру́ке, мо́юсь.

А круго́м-то,[11] ба́тюшки-све́ты, сти́рка самоси́льно идёт. Оди́н штаны́ мо́ет,[12] друго́й подшта́нники трёт, тре́тий ещё что́-то кру́тит. То́лько,[13] ска́жем, вы́мылся — опя́ть гря́зный.

---

[1] Не ца́рский режи́м, ша́йками ля́пать. (*colloquial shorthand for something like* Сейча́с не ца́рский режи́м, чтобы мо́жно бы́ло люде́й ша́йками ля́пать) This isn't like the tsarist regime when one could go around smashing people with buckets.

[2] эгои́зм како́й! such selfishness!

[3] Не в теа́тре = Ты́ не в теа́тре

[4] Не стоя́ть же... why should one stand... I don't want to stand...

[5] стоя́ть над (его́) душо́й (*idiom*) stand over (him), breathe down his neck

[6] а то́лько but anyway

[7] ту́ю (*Acc of* та́я, *dialectal or substandard variant of* та́) that (one)

[8] и ша́йка е́сть I even have a basin

[9] сто́я (*present deverbal adverb of* стоя́ть) standing, standing up

[10] сто́ю сто́я (*Zoshchenko makes fun of the narrator's uneducated speech*) "I stand there standing"

[11] -то *particle added for emphasis and colloquial style*

[12] мо́ет *substandard, colloquial use of* мы́ть *for* стира́ть wash (clothes, cloth), launder

[13] то́лько (*colloquial for* как то́лько) as soon as

Брызжут, дьяволы. И шум такой стоит[1] от стирки — мыться
неохота. Не слышишь, куда мыло трёшь. Грех один.

«Ну их, — думаю, — в болото.[2] Дома домоюсь».

Иду в предбанник. Выдают на номер[3] бельё. Гляжу —
5 всё моё, штаны не мои.

— Граждане, — говорю. — На моих тут дырка была. А на
этих эвон где.[4]

А банщик говорит:

— Мы, — говорит, — за дырками не приставлены.[5] Не в
10 театре, — говорит.

Хорошо. Надеваю эти штаны, иду за пальтом.[6] Пальто
не выдают — номерок требуют. А номерок на ноге забытый.
Раздеваться надо. Снял штаны, ищу номерок — нету
номерка. Верёвка тут, на ноге, а бумажки нет. Смылась
15 бумажка.

Подаю банщику верёвку — не хочет.

— По верёвке,[7] — говорит, — не выдаю. Это,[8] — говорит, —
каждый гражданин настрижёт верёвок — польт[9] не
напасёшься. Обожди, — говорит, — когда публика разойдётся
20 — выдам, какое останется.[10]

Я говорю:

---

[1] шум стоит it's noisy

[2] ну их в болото (*idiom*) the hell with them, they can go jump in the lake

[3] на номер in exchange for the tag

[4] эвон где (*dialectal or colloquial for* вот где) that's where it is

[5] Мы за дырками не приставлены. (*colloquial shorthand for something like* Мы не приставлены следить за дырками.) We are not assigned here to look after your holes.

[6] пальтом (*substandard, colloquial Instrumental Singular of* пальто, *normally indeclinable*)

[7] по верёвке on the evidence of the string, in exchange for the string

[8] это... the thing is that...

[9] польт (*substandard, colloquial Genitive Plural of* пальто, *normally indeclinable*)

[10] какое останется = то, которое останется

— Братишечка, а вдруг да[1] дрянь останется? Не в театре же, — говорю. — Выдай, говорю, по приметам. Один, — говорю, — карман рваный, другого нету. Что касаемо[2] пуговиц, то, — говорю, — верхняя есть, нижних же не предвидится.[3]

Всё-таки выдал. И верёвки не взял.

Оделся я, вышел на улицу. Вдруг вспомнил: мыло забыл.

Вернулся снова. В пальто не впущают.[4]

— Раздевайтесь, — говорят.

Я говорю:

— Я, граждане, не могу в третий раз раздеваться. Не в театре, — говорю. — Выдайте тогда хоть стоимость мыла.

Не дают.

Не дают — не надо.[5] Пошёл без мыла.

Конечно, читатель может полюбопытствовать: какая, дескать, это баня? Где она? Адрес?

Какая баня? Обыкновенная. Которая в гривенник.[6]

---

[1] а вдруг да..? and what if..?

[2] что касаемо.. (*dialectal or colloquial for* касательно *or* что касается) as far as... goes

[3] не предвидится (*colloquial usage of* предвидеться 'be foreseen') are nowhere to be seen

[4] впущать (*dialectal or substandard for* впускать) let in, admit

[5] Не дают — не надо. If they won't give it to me, all right, I don't need it.

[6] в гривенник (*colloquial for* за гривенник) where admission is ten kopecks

GLOSSARY

This glossary contains all the words used in the stories. In all cases, the glosses are not limited to the meanings relevant for the stories, but include other common meanings as well. Our intention was to give the reader more information than is strictly necessary for reading the stories. The primary purpose of any glossary is to tell the reader what a word *means*. However, as this book may be used for assignments that require discussing the stories in Russian, you will often need to know how a word is *used*. With this in mind, we also included inflectional information. You can use it when you need to know how to spell a particular form of a noun, an adjective, or a verb. In most cases, both aspect partners of a verb are listed in the glossary. You can always look up the aspect partner that you see in the story.

This glossary is based on *5000 Russian Words* by Richard L. Leed and Slava Paperno, Slavica Publishers. The abbreviations, symbols, and rules used in this glossary are the same as those used in *5000 Russian Words*. Although we do not reproduce here the fourteen-page "Appendix on Russian Endings" by Richard L. Leed published in *5000 Russian Words*, the list of abbreviations and symbols, together with an explanation of stress codes and inserted vowel rules, shown below, will help you to decline any noun or adjective, and to conjugate any verb listed in this Glossary. All irregular inflected forms are spelled out in the entries. Forms are considered irregular when they do not conform to the rules for inflection described in the dictionary *5000 Russian Words*.

45

ABBREVIATIONS

A., Acc.	Accusative case
adj.	adjective
adv.	adverb
anim.	animate
colloq.	colloquial
compar.	comparative
D., Dat.	Dative case
E	End stress (see note below)
f.an	feminine animate
f.in	feminine inanimate
fem.	feminine
G., Gen.	Genitive case
I., Inst.	Instrumental case
Impf.	Imperfective aspect
inan.	inanimate
Inst.	Instrumental case
intrans.	intransitive
Irreg.	Irregular
Loc.	Locative case
m. an	masculine animate
m. in	masculine inanimate
M	Moving stress (see note below)
masc.	masculine
N., Nom.	Nominative case
n.an	neuter animate
n.in	neuter inanimate
neut.	neuter
Nom.	Nominative case
P., Prep.	Prepositional case
Part.	Partitive case
Pf.	Perfective aspect
Plur.	Plural
ppp	past passive participle
Prep.	Prepositional case
prep.	preposition
pres.	present
ptcpl.	participle
S	Stem stress (see note below)
Sg.	Singular
sh.	short form (of an adjective)
smb.	somebody
smt.	something

SYMBOLS AND NUMERALS

!	Singular and Plural Imperatives, e.g. пéй!
[...]	variant forms (see note below)
(...)	parentheses enclosing an inserted vowel (see note below)
ò vs. ó	grave accent vs. acute accent, i.e. secondary vs. primary stress e.g. кòка-кóла, четырёхколёсный
роди́лся́	two acute accents within a word mean variant stress e.g. роди́лся́ = роди́лся or родился́, далёкó = далёко or далекó
#	zero ending
•	phrases and idiomatic expressions follow
1Sg	first person Singular
1Plur	first person Plural
2Sg	second person Singular
2Plur	second person Plural
3Sg	third person Singular
3Plur	third person Plural

NOTES

The notes below may help you to predict the spelling of an inflected form and the stress placement based on the concise morphological information in each entry. These notes treat only three aspects of inflection: variant forms, stress patterns, and inserted vowels.

NOTE ON SQUARE BRACKETS (VARIANT FORMS)

Some words admit of more than one inflectional pattern; for example, the past tense of ги́бнуть 'perish' can be either ги́б or ги́бнул. The variant which is not the most preferred one (it may be equally preferred or less preferred) is listed second and is enclosed within square brackets: e.g. ги́б [or ги́бнул]. If the first variant is regular, then both forms are enclosed in brackets; the word двéрь, for example, has variant Instrumental Plural endings: e.g. [дверя́ми or дверьми́].

When you want to find out how to inflect a word, you can always safely ignore the information enclosed in square brackets; in other words, the information given outside the brackets will always lead you to a grammatically acceptable variant. Bear in mind, however, that a given speaker of Russian may prefer some of the forms in brackets. The use of brackets in this dictionary in no way implies that bracketed forms are substandard; bracketed forms having a particular stylistic flavor are so marked (e.g. as poetic, colloquial, old-fashioned, etc.).

47

NOTE ON ENGLISH CAPITAL LETTERS (STRESS PATTERN)

The English capital letters after the headword tell you what stress pattern the word has: E = End stress, S = Stem stress, M = Moving stress. Specifically, this means:

For nouns:

The first capital letter tells you where the stress falls in the Singular forms; the second letter tells you where the stress falls in the Plural forms. In cases where End stress would fall on the zero ending, stress falls on the preceding syllable.

Examples:

стол EE   → *Sg.* стол стола́ столе́ столу́ столо́м
зе́ркало SE → *Plur:* зеркала́ зерка́л зеркала́х зеркала́м
                зеркала́ми

For adjectives:

The one capital letter after an adjective headword tells you where the stress falls in the short forms and in the comparative form. (Long forms never shift stress; all long forms are stressed on the same syllable as the headword, so no stress code is required.) In cases where End stress would fall on the zero ending (masculine), stress falls on the preceding syllable. Moving stress in the case of adjectives means stress "moves" from the stem to the feminine ending. The stress rule for the comparative is two-fold:

(1) If the adjective stem ends in a velar consonant (к г х), the ending will be -e and the immediately preceding syllable will be stressed, no matter what the stress code is (see жа́ркий — жа́рче, below).

(2) Otherwise, if any short form is stressed on the ending, either obligatorily or optionally, then stress will fall on the comparative ending -е́е; conversely, if no short endings are ever stressed, then the ending -ее is unstressed.

Examples:

суро́вый S суро́в суро́ва суро́во суро́вы суро́вее
ми́рный S [or M] ми́рен мирна́ ми́рно ми́рны мирне́е
живо́й M жив жива́ жи́во жи́вы живе́е
горя́чий E горя́ч горяча́ горячо́ горячи́ горяче́е

48

For verbs:

The first English capital letter after the infinitive tells you where the stress falls in the Non-past forms; the second letter tells you where the stress falls in the Past forms. In cases where End stress would fall on the zero ending, stress falls on the preceding syllable. Moving stress in the case of past tense forms means the same thing it does for short adjectives: stress "moves" from the stem to the feminine ending. For non-past forms the letter M means that the stress "moves" from the stem to the First Person Singular ending.

Stem stress generally means that the stress falls on the same stem syllable as it does in the headword (infinitive). But sometimes the stressed syllable of the infinitive doesn't show up in the Non-past or Past; in such cases, stress falls on the last syllable of the stem: рисова́ть SS рису́ют.

Examples:

прийти́ EE приду́т; пришёл пришла́ пришло́ пришли́
вести́сь EE веду́тся; вёлся вела́сь вело́сь вели́сь
бы́ть SM бу́дут; бы́л была́ бы́ло бы́ли
писа́ть MS пишу́ пи́шешь пи́шет пи́шем пи́шете пи́шут; писа́л
    писа́ла писа́ло писа́ли

NOTE ON VOWEL IN PARENTHESES (INSERTED VOWEL)

The vowel in parentheses right after the stress pattern refers to the inserted vowel, e.g., ви́лка SS (o) means that the vowel o is inserted before the zero ending (-#) of the Genitive Plural: ви́лок. If you want to know how to predict an inflected form with an inserted vowel, follow the rules below.

For nouns:

(1) How to drop the inserted vowel from the Nominative Singular of #-decl. nouns.

   If vowel letter precedes, replace the inserted vowel with й:
   заём SS (ё) → займом

   If л precedes, replace the inserted vowel with ь:
   лёд SS (ё) → льдóм

   If к follows e or ё, replace the inserted vowel with ь:
   зверёк EE (ё) → зверькóм,
   unless the preceding consonant is ч щ ш ж or ц:
   кусóчек SS (e) → кусóчком

   If й follows, replace the sequence with ь:
   ýлей SS (e) → ýльем

   Otherwise, drop the inserted vowel with no other change:
   орёл EE (ё) → орлóм
   конéц EE (e) → концóм

(2) How to add the inserted vowel to the Genitive Plural of a- and o-declension nouns.

   If ь precedes the final consonant, replace ь with the inserted vowel:
   свáдьба SS (e) → свáдеб

   If ь precedes the ending, replace ь with the inserted vowel and add й:
   гóстья SS (и) → гóстий
   статья́ EE (e) → статéй

   If the next to last consonant is й, replace it with the inserted vowel:
   чáйка SS (e) → чáек

   Otherwise, insert the vowel just before the last consonant of the stem:
   кýкла SS (o) → кýкол

   Special case: stem-stressed nouns in -ня lack final -ь:
   бáшня SS (e) → бáшен

For adjectives:

For adding the inserted vowel in adjectives (masculine short forms), use the same rules as you do for nouns.

> If ь precedes the final consonant, replace it with the inserted vowel:
> дово́льный S (e) → дово́лен

> If the next to last consonant is й, replace it with the inserted vowel:
> споко́йный S (e) → споко́ен

> Otherwise, insert the vowel just before the last consonant:
> у́мный E (ё) → умён

> Special case: stem-stressed adjectives in -ний lack final ь:
> дре́вний S (e) → дре́вен

For verbs:

No inserted vowel notation is used in the verb entries. The forms containing an inserted vowel are treated as irregular, and are cited as such, e.g. пи́ть SM пью́т пе́й! 'drink'.

А

a[1] and; while; but • a то́ or else

á[2] eh? huh?

á[3] ah! oh!

абсолю́тный S (e) absolute

автомоби́ль SS *m.in* motor vehicle, automobile, car

ага́ Aha! Yeah!

а́дрес SE *NPlur.* -á *m.in* (street) address

а́ж (*colloquial*) even

аккура́т • в аккура́т (*colloquial*) exactly, precisely

аккура́тно[1] exactly, thoroughly

аккура́тно[2] tidily, neatly

аккура́тность SS *f.in* exactness, thoroughness; neatness

аккура́тный S (e) neat; exact, precise • в аккура́тном ви́де in neat condition

а́лгебра SS *f.in* algebra

алкого́ль SS *m.in* alcoholic beverages; alcoholic drink

амбулато́рный • амбулато́рный больно́й outpatient; амбулато́рный приём doctor's receiving hours for outpatients, office hours; на амбулато́рном приёме while in the doctor's waiting room

Аме́рика SS *f.in* America

америка́нец SS (e) *m.an* American

а́нгел SS *m.an* angel • де́нь а́нгела name-day, saint's day

аппети́т SS *Part.* -у *m.in* appetite

аппети́тный S (e) appetizing

атмосфе́ра SS *f.in* atmosphere

афи́ша SS *f.in* poster

áх ah! oh! ouch!

а́хать[1] SS -ают; *intrans; Impf.* (*Pf-once* а́хнуть) sigh; say "ah!" "oh!"

а́хать[2] SS -ают; *intrans; Impf.* (*Pf-once* а́хнуть) whack, hit

а́хнуть[1] SS а́хнут; *intrans; Pf-once* (*Impf.* а́хать) sigh; say "ah!" "oh!" • óн и а́хнуть не успе́л как... before he knew where he was...

а́хнуть[2] SS а́хнут; *Pf-once* (*Impf.* а́хать) (*slang*) whack, hit

Б

ба́бушка SS (e) *f.an* grandmother

ба́йковый flannel, made of flannel

банке́т SS *m.in* banquet

ба́нщик SS *m.an* bath attendant

ба́нька SS (e) *f.in, dimin. of* ба́ня

ба́ня SS *f.in* public bathhouse, communal washroom

ба́ста (*from Italian*) enough, that's it

ба́тюшки-све́ты (*mild expletive*) gosh!

бахрома́ EE *Plur. hypothetical; f.in* fringe, a decorative border of thread or cord usually hanging from a raveled edge

бахро́мка SS (о) *f.in, dimin. of* бахрома́

башка́ EE (о) *GPlur. avoided; f.in* (*colloquial*) head

бе́гать SS -ают; *intrans; Non-One-way Impf.* (*One-way Impf.* бежа́ть; *Pf-awhile* по-) run

беда́ ES *f.in* misfortune; calamity • не беда́ it doesn't matter

бежа́ть ES бегу́т бегу́ бежи́шь бежи́т бежи́м бежи́те; *no pres. adv; intrans; One-way Impf.* (*Non-One-way Impf.* бе́гать; *Pf. and Pf-begin* по-) run

без *prep.* +*Gen* without; less

безвре́дный S (e) harmless

безразли́чный S (e) indifferent

безусло́вно unconditionally, absolutely; (*colloquial*) of course, certainly, it goes without saying

беле́е *compar. of* бе́лый

бе́лый white

бельё E *Plur. hypothetical; n.in* linen; underclothes

бензи́н SS *Part.* -у *m.in* gasoline

берло́га SS *f.in* den, lair

беру́т *non-past form of* бра́ть

бесе́да SS *f.in* conversation, talk

бесе́довать SS -дуют; *intrans; Impf.* (*Pf. and Pf-awhile* по-) talk, chat

бесе́дуют *non-past form of* бесе́довать

бескоры́стный S (e) disinterested, honest, impartial, with no axe to grind

беспоко́иться SS -о́ятся; *Impf.* (*Pf. and Pf-begin* о-; *Pf-awhile* по-) worry (for), be anxious (about) • Не беспоко́йся! Don't bother! Don't worry!

беспоко́йный S (e) worried; troubled; anxious; restless; uneasy; worrisome; bothersome; disturbing

беспреде́льно endlessly, extremely

биле́т SS *m.in* ticket

би́ться[1] ES бью́тся; бе́йся! *no pres. adv; Impf.* (*no Pf.*) fight, struggle; struggle with; struggle over (a problem, a piece of work, *etc.*)

би́ться[2] ES бью́тся; бе́йся! *no pres. adv; Impf.* (*Pf-awhile* по-) beat, splash, strike against smt.; (*when said of the heart, pulse, etc.*) beat

би́ться[3] ES бью́тся; бе́йся! *no pres. adv; Impf.* (*Pf.* раз- *and* по-) smash, break, shatter

благодаря́ *prep.* +*Dat* thanks to, owing to, because of

благополу́чный S (e) happy, successful; safe, uneventful

бламанже́ *indeclinable n.in* blancmange (*a French dessert*)

бли́зко *predicate* it is nearby, close (to), not far (from)

блоха́ ES [*or* EE *NPlur.* бло́хи] *f.an* flea

бо́же Lord! Goodness!

бо́ится *non-past form of* боя́ться

бой[1] SE *Loc.* (в) -ю́ *m.in* battle, fight

бой[2] SE *m.in* striking (of a clock)

бо́лее more • тем бо́лее, что especially since, the more so since

боле́знь SS *f.in* illness, disease • вну́тренние боле́зни internal diseases, diseases treated by internal medicine; пшённая боле́знь/боля́чка (*not in common usage*) sty

боло́то SS *n.in* bog, swamp • ну́ их в боло́то (*slang*) the hell with them

больни́ца SS *f.in* hospital

больно́й[1] E (e) *sh.masc.* бо́лен ill, sick; hurt, wounded (arm, leg, *etc.*)

больно́й[2] (*adj. used as animate noun*) patient

бо́льше more • бо́льше не not any more, no more, no longer; бо́льше всего́ more than anything; бо́льше как (*colloquial*) = бо́льше, чем more than

боля́чка SS (e) *f.in* sore, skin injury

борода́ EE *ASg.* бо́роду, *NPlur.* бо́роды *f.in* beard

боя́ться ES боя́тся; *Impf.* (*Pf.* по-) be afraid

бра́т SS *NPlur.* бра́тья *m.an* brother; (*as mode of address*) buddy, my friend

брати́шечка SS (e) *m.an, dimin. of* бра́т, брати́шка buddy, my friend

брати́шка SS (e) *m.an, dimin. of* бра́т) brother; buddy, my friend

бра́тцы *Plur. of* бра́тец SS (e) *m.an* brother (*in Plur. used when addressing a group of people*) folks; guys

бра́ть EM беру́т; *ppp avoided; Impf.* (*Pf.* взя́ть) take, get (smt. from smb.)

бра́ться EM [*or* EE] беру́тся; [бра́лся *or old-fashioned* брался́]; *Impf.* (*Pf.* взя́ться) undertake

• бра́ться за де́ло get down to business
броса́ть SS -а́ют; *Impf.* (*Pf.* бро́сить) throw; give up, quit
броса́ться SS -а́ются; *Impf.* (*Pf.* бро́ситься) rush, run
• броса́ться бежа́ть start running
бро́сить SS -сят; *Pf.* (*Impf.* броса́ть) throw; give up, quit
бро́ситься SS -сятся; *Pf.* (*Impf.* броса́ться) rush, run
• бро́ситься бежа́ть start running
бры́згать SS бры́згают [or бры́зжут] *Impf.* (*Pf-once* бры́знуть) splash, spatter; squirt; gush, spurt
бры́зжут *non-past form of* бры́згать
бры́знуть SS бры́знут; *Pf-once* (*Impf.* бры́згать) splash, spatter; squirt; gush, spurt
брю́хо SS *NPlur.* -и *n.in* belly
бу́дем *non-past form of* бы́ть
бу́дет *non-past form of* бы́ть
• Бу́дет! Stop! That's enough! That'll do!
бу́дни S (e) *Plur. only; m.in* weekdays; humdrum routine life, the tedium of existence
бу́дто like, as if, as though, seemingly; that (allegedly), *e.g.* Говоря́т, бу́дто о́н у́мер They say he died • как бу́дто as if
бу́ду *non-past form of* бы́ть
бу́дьте *Imperative of* бы́ть
буква́льно literally
бума́жка SS (e) *f.in* piece or scrap of paper; note, bill (*paper money*)
буржуа́зный S (e) bourgeois
буты́лка SS (o) *f.in* bottle
бы would; should (*indicates hypothetical or conditional sentence*) *e.g.* Пла́кали бы мои́ де́нежки (*colloquial*) My money would be gone • ка́к бы сказа́ть so to speak; хотя́ бы и... so what

if... чего́ бы ни случи́лось (*colloquial*) whatever happens; как бу́дто бы... it seems that,.. it appears that..; ка́к бы не приказа́ли... what if they order (me) to...; она́ могла́ бы... she could have...
бы́вший S *short forms avoided;* (*also past active ptcpl. of* бы́ть) former
бы́ло[1] *particle indicating a cancelled action* nearly, on the point of • чу́ть бы́ло не very nearly, almost
бы́ло[2] *particle indicating aborted action* о́н пошёл бы́ло с ни́ми, но́ верну́лся he started out with them but then turned back
бы́стро fast, quickly
бы́ть SM *pres., all persons,* е́сть, *Scientific and Archaic 3Plur.* су́ть; *future* бу́дут; бу́дь! не́ был, не́ было, не́ были, *but* не была́; ни́ был, ни́ было, ни́ были, *but* ни была́; *no pres. act. ptcpl; pres. adv.* бу́дучи; *intrans; Impf.* (*no Pf.*) be • мо́жет бы́ть maybe, perhaps, possibly; Бу́дет! Stop! That's enough! That'll do!

В

в *prep.* +*Prep* in, at; *prep.* +*Acc* in, into, to; per
ваго́н SS *m.in* coach, car (*railroad, streetcar, etc.*)
вакхана́лия SS *f.in* orgy; confusion, mess
валя́й *Imperative of* валя́ть (*colloquial*) go ahead
валя́ть SS -я́ют; *Impf.* (*Pf.* на-) work sloppily and lazily • валя́ть дурака́ play the fool; валя́й (*colloquial*) go ahead
варёный cooked
вари́ть MS ва́рят; [*pres. active ptcpl.* ва́рящий] *Impf.* (*Pf.* с-) cook; boil

ваш *special adj.* your, yours

вдруг[1] suddenly, all of a sudden
• а то вдруг... and then suddenly...

вдруг[2] what if, suppose • а вдруг да..? and what if..?

ведро ES (e) *NPlur.* вёдра *n.in* bucket, pail

ведь you see, you know; after all

вези *Imperative of* везти

везти[1] ЕЕ везут; вёз везла везли; *old-fashioned pres. passive ptcpl.* везомый; *past adv.* вёзши; *One-way Impf. (Non-One-way Impf.* возить; *Pf-begin* по-) take, haul, convey

везти[2] ЕЕ везёт; *Impersonal;* везло; *past adv.* вёзши; *intrans; Impf. (Pf.* по-) be lucky, *e.g.* Ему *Dat* везёт He's lucky

веко SS *f.in* eyelid

велеть ES -лят *intrans; Impf. and, mostly in past and inf., Pf.* order
• она не велела ему... she told him not to...

великий[1] S [*or* M] *no compar.* great, outstanding

великий[2] Е *no compar.* great, very large

верёвка SS (o) *f.in* rope

вернуться ES -нутся; *Pf. (Impf.* возвращаться) return, come/go back

вертеть MS -тят; *Impf. (Pf-awhile* по-) twirl, turn, twist • вола вертеть (*colloquial, not common*) make trouble

верхний S *no sh.masc.* upper
• верхняя одежда outer clothing (*coats, hats, etc.*); верхняя рубашка shirt

веселиться ES -лятся; *Impf. (Pf-awhile* по-) have fun

весна ES (e) *NPlur.* вёсны (*see also* весной) *f.in* spring

весной (*Inst. of* весна) in the spring

вести ЕЕ ведут; вёл вела вели; *old-fashioned pres. passive ptcpl.* ведомый; *past adv.* ведши; *One-way Impf. (Non-One-way Impf.* водить; *Pf-begin* по-) lead, take; conduct • вести машину drive a car; вести себя behave; вести культработу (*bureaucratic expression*) do the good work, spread the culture and the values of the civilized world

весь *special adj.* all, entire, whole

ветер SE (e) *NPlur.* ветры [*or* SS (e)] *Loc.* (на) -у *m.in* wind
• пойти/побежать до ветру (*slang*) go to the bathroom

ветеринарный veterinary
• ветеринарный врач/доктор veterinarian

вечер SE *NPlur.* -а *m.in* evening

взгляд SS *m.in* glance

вздохнуть ES -нут; *intrans; Pf-once (Impf.* вздыхать) sigh, heave a sigh

вздуматься SS -ается *Impersonal; Pf. (no Impf.)* have a sudden desire, a whim

вздыхать SS -ают; *intrans; Impf. (Pf-once* вздохнуть) sigh, heave a sigh

взнос SS *m.in* deposit; payment; fee; dues • членский взнос (*usually in the plural,* взносы) membership dues

взято (*ppp of* взять) taken, accepted, adopted

взять ЕМ возьмут; [взяло]; *ppp* взятый M; *Pf. (Impf.* брать) take, get (smt. from smb.)
• взять и... up and.., *as in* He up and quit; взять себя в руки control one's feelings

взяться ЕЕ возьмутся; *Pf. (Impf.* браться) • взяться за дело get down to business

вид SS *Part.* -у *m.in* look, appearance; state, condition
• виду не показать not to let on,

В

not to let it show; в аккура́тном ви́де in neat condition; в пья́ном ви́де when drunk; under the influence (of alcohol)

вида́ть SS -а́ют; *non-past forms are colloquial; Impf. (Pf.* у-) see • Вида́ли! (*colloquial*) Who ever saw/heard of such a thing!

ви́деть SS ви́дят; *Imperative avoided; pres. passive ptcpl.* ви́димый; *ppp* ви́денный S; *Impf. (Pf.* у-) see

ви́димо evidently

ви́димый S apparent, visible

ви́дно *predicate* it is obvious, apparent; it is visible, in sight, *e.g.* Мне́ ви́дно го́ру отсю́да I can see the mountain from here

ви́лка SS (о) *f.in* fork; male electrical plug; immersion boiler

винова́тый S guilty

включа́ть SS -а́ют; *Impf. (Pf.* включи́ть) connect; turn on

включа́ться SS -а́ются; *Impf. (Pf.* включи́ться) join, join in, put one's shoulder to the wheel; connect, get connected

включи́ть ES -ча́т; *Pf. (Impf.* включа́ть) connect; turn on

включи́ться ES -ча́тся; *Pf. (Impf.* включа́ться) join, join in, put one's shoulder to the wheel; connect, get connected

вме́сте together • вме́сте с +*Inst* together with, along with; вме́сте с те́м at the same time, nevertheless

вме́сто *prep.* +*Gen* instead of

внима́ние SS *n.in* attention • обраща́ть внима́ние на +*Acc* pay attention to; notice

вну́тренний S (e) *no sh.masc* internal; inner; interior • вну́тренние боле́зни internal diseases, diseases treated by internal medicine

вну́трь[1] inside; inward

вну́трь[2] *prep.* +*Gen* inside

во[1] *variant of* в in, on, at

во́[2] (*colloquial* variant of во́т) here, here is

во́[3] (*colloquial*) that's right!

вовну́трь (*colloquial for* вну́трь) into, inside

води́ть MS во́дят; *pres. passive ptcpl.* води́мый; *Non-One-way Impf. (One-way Impf.* вести́; *Pf-awhile* по-) lead, take; conduct • води́ть маши́ну drive a car

во́дка SS (о) *f.in* vodka

вождь EE *m.an* leader; chief

возврати́ться ES -тя́тся -щу́сь; *Pf. (Impf.* возвраща́ться) return, come/go back

возвраща́ться SS -а́ются; *Impf. (Pf.* возврати́ться *and* верну́ться) return, come/go back

во́здух SS *Part.* -у *m.in* air

возду́шный S (e) air, aerial; airy • посла́ть возду́шный поцелу́й blow a kiss

возмо́жность SS *f.in* possibility; opportunity

возмущённый[1] E *short forms* возмущён, -ена́, -ено́, -ены́ *compar.* -е́ннее (*said of a person*) indignant; outraged

возмущённый[2] S (e) *sh.masc.* возмущён (*said of a glance, tone, etc.*) indignant

войти́ EE войду́т; вошёл вошла́ вошли́; *past deverbal adv.* войдя́; *past active ptcpl.* воше́дший; *intrans; Pf. (Impf.* входи́ть) go into, enter

вокза́л SS *m.in* station, terminal

вокру́г *adv. and prep.* +*Gen* around

вол EE *m.an* ox • вола́ верте́ть (*colloquial, not common*) make trouble

волк SE *NPlur.* во́лки *m.an* wolf

вон there, over there • вон та́м over there; а ты́ вон где́ and look where you are, and look where I find you воня́ть SS воня́ют; *intrans; Impf. (no Pf.)* stink

вообще́ in general, on the whole; altogether; at all; generally speaking

вопро́с SS *m.in* question

воровать SS вору́ют; *Impf. (Pf.* с-) steal

вору́ешь *non-past form of* воровать

во́семь *numeral* eight

воскресе́нье SS (и) *n.in* Sunday

воскре́сный Sunday • воскре́сный де́нь Sunday

во́т here (is/are), there (is/are); this is, these are • во́т как that's how (it was); во́т одна́жды well, one day; во́т тепе́рь and now

вошёл *past tense form of* войти́

вполго́лоса in a low voice, quietly

вполне́ fully, entirely, quite

впуска́ть SS -а́ют; *Impf. (Pf.* впусти́ть) let in, let through, allow to enter

впусти́ть MS впу́стят; *Pf. (Impf.* впуска́ть) let in, let through, allow to enter

впуща́ть SS -ают; *Impf. (no Pf.) (dialectal or substandard)* let in, admit

вра́г EE *m.an* enemy

вра́з (*colloquial*) at once; at one sitting

врасплох unawares • заста́ть врасплох catch unawares; catch at some wrongdoing, catch with a hand in the cookie jar

вра́ть EM вру́т; *pres. adv. avoided; Impf. (Pf.* на-, со-) lie, tell lies; talk nonsense

вра́ч EE *m.an* doctor (*medical*)

вре́менный temporary

вре́мя SE *GPDSg.* вре́мени, *ISg.* вре́менем, *NPlur.* времена́ *GPlur.* времён *n.in* time; tense • во вре́мя +*Gen* during; со вре́менем in due time; пре́жние времена́

the "olden days"; всё вре́мя all the time

вря́д ли hardly, improbable

всё[1] *pronoun, inflected like the anim. Plur. of* ве́сь everybody, all

всё[2] *pronoun, inflected like the neut. Sg. of* ве́сь everything, all • и всё тако́е and so on; and that sort of thing

всё[3] (*colloquial variant of* всё вре́мя) all the time, continually, always

всё[4] (*colloquial variant of* всё ещё) still

всё[5] however • всё же (*or* всё ж) all the same, nevertheless

всё[6] *used with comparatives, as in* всё бо́льше и бо́льше more and more, всё ре́же и ре́же less and less frequently

всегда́ always • чём всегда́ than ever; ка́к всегда́ as ever, as always

всего́ (*see also* ве́сь) in all; only

всё-таки for all that, still, all the same, after all

вско́ре soon, soon after

всплёскивать SS -ают *Impf. (Pf.* всплесну́ть) • всплесну́ть рука́ми fling up one's hands (in horror, surprise, *etc.*)

всплесну́ть ES -ну́т; *ppp* всплёснутый S; *Pf. (Impf.* всплёскивать) • всплесну́ть рука́ми fling up one's hands (in horror, surprise, *etc.*)

вспомина́ть SS -а́ют; *Impf. (Pf.* вспо́мнить) remember, recollect

вспо́мнить SS -нят; *Pf. (Impf.* вспомина́ть) remember, recollect

встава́ть ES -стаю́т; -става́й! *pres. adv.* -става́я; *intrans; Impf. (Pf.* вста́ть) stand up, get up

вста́ть SS вста́нут; *intrans; Pf. (Impf.* встава́ть) stand up, get up

встре́тить SS -тят; *Pf. (Impf.*
встреча́ть) meet, run into; greet
встре́ча SS *f.in* meeting, date
встреча́ть SS -а́ют; *Impf. (Pf.*
встре́тить) meet, run into; greet
всхли́пнуть SS -нут; *intrans; Pf-once (Impf.* всхли́пывать) sob
всхли́пывать SS -ают; *intrans;
Impf. (Pf-once* всхли́пнуть) sob
всю *ASg. fem. form of* ве́сь
вся *NSg. fem. form of* ве́сь
вся́кий[1] any; all sorts of • вся́кий
ра́з every time
вся́кий[2] *used as f./m.an. noun*
anyone, anybody
втрави́ть MS втра́вят; *Pf. (Impf.*
втравля́ть *or* втра́вливать) get
(smb.) involved (in smt.), drag
into
ву́з SS *m.in (abbr. of* вы́сшее
уче́бное заведе́ние, *also spelled*
ВУЗ) institution of higher
education (*college, university,*
etc.)
вхо́д SS *m.in* entry; entrance
входи́ть MS -хо́дят; *intrans; Impf.*
(*Pf.* войти́) enter, come/go in
(*walking*)
въезжа́ть SS -а́ют; *intrans; Impf.*
(*Pf.* въе́хать) enter, come/go in
(*driving, riding*)
въе́хать SS -е́дут; -езжа́й! *intrans;
Pf. (Impf.* въезжа́ть) enter,
come/go in (*driving, riding*)
вы *pronoun* you
выбыва́ть SS -а́ют; *intrans; Impf.*
(*Pf.* вы́быть) move out, leave,
drop out
вы́быть SS -будут; *intrans; Pf.*
(*Impf.* выбыва́ть) move out,
leave, drop out
вы́везти SS -везут; - вези! -вез
-везла -везли; *past adv.* -везя;
past active ptcpl. -везший; *Pf.*
(*Impf.* вывози́ть) take out, haul
out; export
вывози́ть MS -во́зят; *pres. passive
ptcpl.* -вози́мый; *Impf. (Pf.*

вы́везти) take out, haul out;
export
выдава́ть ES -даю́т; -дава́й! *pres.
adv.* -дава́я; *Impf. (Pf.* выдать)
give out, issue; betray
вы́дать EM -дадут -дам -дашь
-даст -дадим -дадите; -дай!
вы́дал вы́дала вы́дали; *ppp*
вы́данный S; *Pf. (Impf.* выдава́ть) give out, issue; betray
вы́держать SS -жат *Pf. (Impf.*
выде́рживать) stand, withstand,
bear • не вы́держать break
down, collapse, fall apart
(*literally and figuratively*)
выде́рживать SS -ают *Impf. (Pf.*
вы́держать) stand, withstand,
bear • не выде́рживать break
down, collapse, fall apart
(*literally and figuratively*)
вы́держка SS (e) *f.in* self-control,
self-possession; dignity
вы́жить[1] SS вы́живут; вы́живи!
intrans; Pf. (Impf. выжива́ть)
survive (*a calamity, an illness,*
etc.)
вы́жить[2] SS вы́живут; вы́живи!
ppp вы́житый S; *Pf. (Impf.*
выжива́ть) drive smb. out, make
smb.'s life impossible
вы́звать SS -зовут; -зови! *Pf.*
(*Impf.* вызыва́ть) summon, call
for; call forth
вызыва́ть SS -а́ют; *Impf. (Pf.*
вы́звать) summon, call for; call
forth
вы́йти SS вы́йдут; -йди! -шел -
шла -шли; *past adv.* -йдя; *past
active ptcpl.* -шедший; *intrans;
Pf. (Impf.* выходи́ть) exit,
come/go out • вы́йти за́муж за
+*Acc* get married (*said of a*
woman)
вы́кушать SS -ают; *Pf. (no Impf.*)
(*archaic colloquial*) drink
вылеза́ть SS -а́ют; *intrans; Impf.*
(*Pf.* вы́лезть *or* вы́лезти) climb
out

вы́лезть [*or* вы́лезти] SS -лезут;
-лези! [*or* -лезь!] -лезьте! [*or,*
avoided -лезите!] -лез -лезла
-лезли; *past adv.* -лезши;
intrans; Pf. (*Impf.* вылеза́ть)
climb out

вы́мыть SS -моют; *ppp* вы́мытый S;
Pf. (*Impf.* мы́ть) wash (*face,
floor, etc, but not clothes*)

вы́мыться SS -моются; *Pf.* (*Impf.*
мы́ться) wash (*face, hands, body*)

вынима́ть SS -а́ют; *Impf.* (*Pf.*
вы́нуть) take out, pull out

вы́нуть SS -нут; *Pf.* (*Impf.*
вынима́ть) take out, pull out

выпива́ть[1] SS -а́ют; *Impf.* (*Pf.*
вы́пить) drink, drink up

выпива́ть[2] SS -а́ют; *Impf.* (*no Pf.*)
drink, have an addiction to
alcohol

вы́пивка SS (о) *f.in* drinks
(*alcoholic*); drinking party
(*colloquial*) • вы́пивка с заку́ской
drink and chaser (*a bite of food*)

вы́пить SS -пьют; -пей! *ppp*
вы́питый S; *Pf.* (*Impf.* выпива́ть
and пи́ть) drink; have a drink

вы́пуклый round, bulging,
prominent; convex

выпуска́ть SS -а́ют; *Impf.* (*Pf.*
вы́пустить) let out, release

вы́пустить SS -тят; *Pf.* (*Impf.*
выпуска́ть) let out, release

выпуща́ть SS -а́ют; *Impf.* (*no Pf.*)
(*dialectal or substandard*) let out,
release

выраже́ние SS *n.in* expression

вы́сморкаться SS -аются; *Pf.*
(*Impf.* сморка́ться) blow one's
nose

вы́стрелить SS -лят; -ли! *intrans;
Pf.* (*Impf.* стреля́ть) shoot

выступа́ть SS -а́ют; *intrans; Impf.*
(*Pf.* вы́ступить) perform, act,
appear • выступа́ть с ре́чью give
a speech

вы́ступить SS -пят; -пи! *intrans;
Pf.* (*Impf.* выступа́ть) perform;

act; appear • вы́ступить с ре́чью
give a speech

вы́сший higher; highest

выта́скивать SS -ают; *Impf.* (*Pf.*
вы́тащить *and colloquial*
вы́таскать) pull out, drag out;
pull (*a tooth, a splinter, etc.*)

вы́тащить SS -щат; *Pf.* (*Impf.*
выта́скивать) pull out, drag out;
pull, extract (*a tooth, a splinter,
etc.*)

вы́тереть SS -трут; -тер -терла
-терли; *past adv.* -терев [*or*
-терши]; *past active ptcpl.*
-терший; *ppp* вы́тертый S; *Pf.*
(*Impf.* вытира́ть) wipe; mop up

вытира́ть SS -а́ют *Impf.* (*Pf.*
вы́тереть) wipe; mop up

вы́ход SS *m.in* exit, way out

выходи́ть MS -хо́дят; *intrans;
Impf.* (*Pf.* вы́йти) come/go out
• выходи́ть за́муж за +*Acc* get
married (*said of a woman*)

вы́шел *past tense form of* вы́йти

вью́шка SS (e) *f.in* flue

Г

га́з SS *Part.* -у *m.in* gas, gaseous
substance

гало́ши *Plur. of* гало́ша SS *f.in*
galoshes, rubber overshoes

гаси́ть MS га́сят *Impf.* (*Pf.* по-)
extinguish, put out; quench,
satisfy

где́ where; (*colloquial*) somewhere

геро́й SS *m.an* hero; character (*in
a book, play, etc.*)

гла́вное *used as n.in noun* the main
thing, the essentials; (*used
parenthetically*) most
importantly

гла́вный M (e) *sh.fem. avoided*
main, chief, principal • гла́вным
о́бразом mainly, for the most
part

гла́дить SS -дят; *Impf.* (*Pf. and
Pf-awhile* по-) iron, press

гла́женый S pressed, ironed

гла́з SE *GPlur.* -#, *Loc.* (в/на) -у́, *NPlur.* -а́ *m.in* eye • пусти́ть пыль в глаза́ put on a false front, impress with a false act; ни в одно́м глазу́ sober as a judge

глазно́й E *no sh.masc.; other short forms avoided* eye

гляде́ть ES гляди́т; *pres. adv.* гля́дя; *intrans; Impf. (Pf.* по-*)* look (at) • не гляди́ что... never mind that...; на́ ночь гля́дя late in the day, when it's almost night; гляде́ть за +*Inst.* (*colloquial*) look after; keep an eye on

гля́дя *pres. deverbal adv. of* гляде́ть

гляжу́ *non-past form of* гляде́ть

гна́ть MM го́нят; *pres. pass. ptcpl.* гони́мый; *ppp avoided; One-way Impf. (Non-One-way Impf.* гоня́ть*)* drive, chase; drive away • гна́ть маши́ну (ло́шадь, *etc.*) drive a vehicle (a horse, *etc.*) very fast and carelessly

говори́вший (*past active ptcpl. of* говори́ть) (*when used as a noun*) the speaker; the one who spoke

говори́ть[1] ES -ря́т; *Impf. (no Pf.)* speak, use language for communication

говори́ть[2] ES -ря́т; *Impf. (Pf.* сказа́ть*)* tell, say

говори́ть[3] ES -ря́т; *Impf. (Pf-begin* за-; *Pf. and Pf-awhile* по-*)* speak (with), have a talk (with), talk (to)

говори́ться ES -ря́тся; *Impf. (no Pf.)* be said • как говори́тся as they say

говорю́ *non-past form of* говори́ть

говоря́ (*pres. deverbal adv. of* говори́ть) speaking, saying, while saying

говоря́щий (*pres. active ptcpl. of* говори́ть) speaking, talking; (*when used as a noun*) the

speaker; the one who is/was speaking

год SE *Loc.* (в/на) -у́ *NPlur.* го́ды [*or* года́] *GPlur.* лет (*after quantity words*) *and* годо́в *m.in* year

го́дный M (e) [*sh.Plur.* го́дны́] fit (for or to); suitable (for); valid

голова́ EE *ASg.* го́лову, *NPlur.* го́ловы; *f.in* head (*part of the body*) • кури́ная твоя́ голова́ (*slang, not common*) you chicken head

го́лос SE *Part.* -у, *NPlur.* -а́ *m.in* voice

голосо́к EE (о) *m.in, dimin. of* го́лос

голу́бчик SS *m.an* dear one, sweetheart

го́лый M [*sh.Plur.* го́лы́] naked, bare • го́лыми рука́ми with one's bare hands

го́нишь *non-past form of* гна́ть

го́рдый M [*sh.Plur.* го́рды́] *no compar* proud

горе́ть[1] ES горя́т; *intrans; Impf. (Pf.* с-*)* burn, be on fire

горе́ть[2] ES горя́т; *intrans; Impf. (no Pf.)* shine, sparkle; be on (*when said of lights*)

гори́т *non-past form of* горе́ть

го́рло SS *n.in* throat

го́род SE *NPlur.* -а́ *m.in* city, town

го́рький[1] M (e) [*sh.Plur.* го́рьки́] *compar.* го́рче bitter (*to the taste*)

го́рький[2] M (e) [*sh.Plur.* го́рьки́] *compar.* го́рше bitter (*emotionally*)

горя́чий E hot (*said of objects, not of weather nor of a person feeling warm*)

горячо́[1] hot, hotly; heatedly, passionately

горячо́[2] *predicate* it is hot (*not said of weather*)

гости́ница SS *f.in* hotel

гости́ная S *adj. used as f.in* noun living room

гости́ный • гости́ный дво́р arcade,
bazaar

госуда́рственный S (e) state,
national

гра́бить SS -бят; *Impf.* (*Pf.* о-) rob

граждани́н SS *NPlur.* гра́ждане
GPlur. гра́ждан *m.an* citizen

гражда́нка SS (о) *f.an* citizen
(*woman*)

графи́н SS *m.in* carafe

гре́ет *non-past form of* гре́ть

гре́лка SS (о) *f.in* hot-water bottle

гре́ть SS гре́ют; *ppp* гре́тый S;
Impf. (*Pf.* со-, подо-) warm,
heat; warm up, heat up (smt.);
heat, provide heat

грех EE *m.in* sin • грех оди́н this
is all wrong, this is nothing but
trouble

гри́венник SS *m.in* ten-kopeck coin
• в гри́венник (*colloquial*) = за
гри́венник worth ten kopecks

грози́ть ES -зят; *intrans; Impf.*
(*Pf.* при-) threaten

гро́мкий M (о) loud

гру́дка SS (о) *f.in, dimin. of* грудь

грудь EE [*or old-fashioned* SE *Loc.*
(в/на) -и́] *ISg.* гру́дью, *NPlur.*
гру́ди *f.in* breast; chest

гру́зчик SS *m.an* longshoreman;
carrier, loader (*worker*)

гру́стный M (e) [*sh.Plur.* гру́стны́]
sad

гры́жа SS *f.in* (med.) hernia;
rupture

гря́зный M (e) [*sh.Plur.* гря́зны́]
dirty; muddy

губа́ EE *NPlur.* гу́бы *f.in* lip

губёнки S (о) *Plur. of* губёнка SS
f.in, dimin. of губа́

гуля́ть SS -я́ют; *intrans; Impf.* (*Pf.
and Pf-awhile* по-) stroll, walk
around, take a walk

Д

да́[1] yes; no (*in response to negative
questions, e.g.* Икры́ нет? —Да́,
икры́ нет. Is there no caviar?
No, there isn't.)

да́[2] and; well • Да где́ же они́?
Well, where are they? Да что́
вы́ говори́те? You don't say! Is
that so? Да что́ вы́! Oh come on,
is it really true? Да нет,.. Well,..

да́[3] may, *e.g.* Да наста́нет ми́р
May/Let there be peace

дава́ть ES даю́т; дава́й! *pres. adv.*
дава́я; *pres. passive ptcpl.*
дава́емый; *Impf.* (*Pf.* да́ть) give,
hand (over), pass

дава́ться[1] ES даю́тся; дава́йся!
pres. adv. дава́ясь; *Impf.* (*Pf.*
да́ться) submit (easily/with
difficulty, willingly/reluctantly,
etc.) to some treatment or
handling, allow oneself to be
treated in a certain way; be
(easily/with difficulty, *etc.*)
learned, mastered, *etc.*

дава́ться[2] ES даю́тся; *Passive;
Impf.* (*no Pf.*) be given, be
handed out

да́веча (*archaic colloquial*) the
other day

дави́ться MS да́вятся; *Impf.* (*Pf.*
по-) choke (on smt.)

даётся *non-past form of* дава́ться

да́же even

дай[1] *Imperative of* да́ть

дай[2] let (me), *e.g.* Дай я́ тебе́
помогу́ *or* Да́й мне́ помо́чь тебе́
Let me help you

да́лее further; later • и та́к да́лее
and so forth, et cetera

далеко́[1] far, far off • Он далеко́ не
дура́к He's far from being a fool

далеко́[2] *predicate* it is far (from)
• Далеко́ ли ва́м? = Далеко́ ли
ва́м на́до е́хать? Do you have far
to go? До э́того далеко́ бы́ло. It
didn't even come close to that.

дальнейший further • в дальнейшем in the future, henceforth

дальше *compar. of* далёкий farther; further; then, next, further

дама SS *f.an* lady

дарма (*slang*) free, for free

даром free of charge, for free, without paying; for nothing, gratis, without pay; in vain • даром что (*colloquial*) even though

дать ЕМ дадут дам дашь даст дадим дадите; дай! дал дала дало [*or* дало] дали; *with negative* не дал, не дало [*or* не дало], не дали, *but* не дала; *ppp* данный Е; *Pf.* (*Impf.* давать) give, hand, hand over, pass; let, allow

даться ЕМ дадутся дамся дашься дастся дадимся дадитесь; дайся! дался далась далось [*or* далось] *Pf.* (*Impf.* даваться) submit (easily/with difficulty, willingly/reluctantly, *etc.*) to some treatment or handling, allow oneself to be treated in a certain way; be (easily/with difficulty, *etc.*) learned, mastered, *etc.*

дают *non-past form of* давать

два *numeral; fem.* две; two

двадцать twenty

две *see* два

двенадцать twelve

дверь SE *Loc.* (в/на) -й, *NPlur.* двери [*IPlur.* дверями *or* дверьми] *f.in* door

двести two hundred

двое *collective numeral* two

двоих *Gen. and Prep. of* двое

двор ЕЕ *m.in* courtyard; yard; barnyard; (royal) court

двух *Gen. and Prep. of* два

девальвация SS *f.in* (*finance*) devaluation

девать SS -ают; *Impf.; past tense and infinitive forms can also be used as Pf.* (*Pf.* деть) put, place

девятнадцать nineteen

девять nine

действительно really, indeed

действовать SS -ствуют; *intrans; Impf.* (*Pf.* по-) influence, affect; act, take action

делай *Imperative of* делать

делать SS -ают; *Impf.* (*Pf.* с-) do; make • делать вид pretend; делать нечего nothing doing, nothing can be done

дело SE *n.in* affair, business • в/на самом деле really, in fact, in reality; Как дела? How are things? В чём дело? What's the matter? дело в том, что ... the point is that; дело принимает серьёзный оборот it looks like trouble; дело (идёт) к весне spring is coming; за дело with a good reason, not for nothing

делов *substandard, colloquial Genitive plural form of* дело (*the regular form is* дел)

денежки (*dimin. of* деньги) (*colloquial*) money

день ЕЕ (е) day • день ангела name-day, saint's day; воскресный день Sunday

деньги Е [*or old-fashioned* S] (е) *Plur. only; NPlur.* деньги, *GPlur.* денег; a-*declension f.in* money

дёргать SS -ают; *Impf.* (*Pf.* дёрнуть) pull, tug

дёргаться SS -аются; *Impf.* (*Pf-once* дёрнуться) quiver; twitch

держать[1] MS держат; *Impf.* (*Pf-awhile* по-) hold, support

держать[2] MS держат; *Impf.* (*no Pf.*) keep, raise (*animals*); keep, run (*a store, etc.*)

держаться MS -жатся; *Impf.* (*no Pf.*) act, behave; hold together, stay in one piece; adhere to;

hold out, stand firm; keep to, *as in* держа́ться праве́е keep to the right; (*passive*) be held, be supported • держа́ться на воде́ remain afloat

дёрнуть SS -нут; *Pf.* (*Impf.* дёргать) pull, tug

дёрнуться SS -утся; *Pf-once* (*Impf.* дёргаться) quiver; twitch

де́скать (*colloquial; introduces an indirect quote*) as if to say...; as they say...

де́ти (*Plur. of* ребёнок *and* дитя́) *m.an* children

де́ть SS де́нут; *ppp* де́тый S; *Pf.* (*Impf.* дева́ть) put, place • не зна́ть, куда́ глаза́ де́ть not to know where to look (from embarrassment); куда́ э́то де́ть? (*colloquial*) where should one put this? where does this go?

джи́мми *Plur. inanimate indeclinable noun* (*outdated slang*) army boots

дива́н SS *m.in* couch, sofa

диктова́ть SS -ту́ют; *Impf.* (*Pf.* про-) dictate

для *prep.* +*Gen* for (the sake of); for (the purpose of)

днём in the afternoon; in the daytime, during the day, by day

дня́ *GSg. of* де́нь day

до *prep.* +*Gen* to, up to, as far as; until, till; before

доба́вить SS -вят; *Pf.* (*Impf.* добавля́ть) add

добавля́ть SS -я́ют; *Impf.* (*Pf.* доба́вить) add

добива́ться SS -а́ются; *Impf.* (*Pf.* доби́ться) attain, achieve, reach, get; insist

доби́ться ES -бью́тся; -бе́йся! *Pf.* (*Impf.* добива́ться) attain, achieve, reach, get

добpoду́шный S (e) good-natured, gentle

до́брый M [*sh.Plur.* добры́] kind-hearted, decent, good, kind

• До́брое у́тро! Hello! Good morning! До́брый де́нь! Hello! Good afternoon! До́брый ве́чер! Hello! Good evening! бу́дьте добры́ please

довезти́ EE -везу́т; -вёз -везла́ -везли́; *past adv.* -везя́; *past active ptcpl.* -вёзший; *Pf.* (*Impf.* довози́ть) take, haul, give a ride (to some place)

довози́ть MS дово́зят; *Pf.* (*Impf.* довезти́) take, haul, give a ride (to some place)

дово́льно¹ contentedly

дово́льно² quite, pretty, fairly, rather

дово́льный S (e) satisfied; pleased

дода́ть SM -даду́т, -да́м, -да́шь, -да́ст, -дади́м; -да́й! до́дал додала́ до́дали [*or* до́дал додала́ до́дали]; *ppp* до́данный M [*or* S]; *Pf.* (*Impf.* додава́ть) finish giving out, finish handing out

дозво́лить SS -лят; *Pf.* (*Impf.* дозволя́ть) permit, allow

дозволя́ть SS -я́ют; *Impf.* (*Pf.* дозво́лить) permit, allow

дойти́ EE дойду́т; дошёл дошла́ дошли́; *past adv.* дойдя́; *past active ptcpl.* доше́дший; *intrans*; *Pf.* (*Impf.* доходи́ть) reach (*walking*), get (to)

докрути́ть MS -кру́тят; *Pf.* (*Impf.* докру́чивать) spin, turn (up to a point)

до́ктор SE *NPlur.* -а́ *m.an* doctor (*medical*)

до́кторша SS *f.an* (*colloquial*) woman doctor (*medical*)

до́лжен E (e) *no long forms; no compar.* must, ought to

до́ма home, at home

дома́шний S (e) *sh.masc. hypothetical* home; domestic

домо́й home, homeward(s)

домы́ться SS домо́ются; *Pf.* (*Impf.* домыва́ться) finish washing допуска́ть SS -а́ют; *Impf.* (*Pf.* допусти́ть) assume; allow

допусти́ть MS -пу́стят; *Pf.* (*Impf.* допуска́ть) assume; allow • допу́стим let us suppose

до́рого dear, dearly, *e.g.* Э́то до́рого сто́ит That costs a lot • до́рого обойти́сь to cost one a pretty penny

досиде́ть ES -сидя́т; *intrans; Pf* (*Impf.* сиде́ть *and* доси́живать) sit, stay (until) *e.g.* досиде́ть до конца́ stay till the end

досло́вно verbatim, word for word

досто́йный[1] S (e) (*with Gen.*) worthy (of); deserving; distinguished • досто́йный похвалы́ praiseworthy

досто́йный[2] suitable, fit; fitting, adequate • досто́йная награ́да deserved reward; досто́йным о́бразом in a fitting manner, properly

доходи́ть MS -хо́дят; *intrans; Impf.* (*Pf.* дойти́) reach, get (to) (*walking*)

дразни́ть MS дра́знят; *pres. active ptcpl.* дра́знящий; *Impf.* (*no Pf.*) tease *e.g.* его́ дразни́ли тру́сом they used to tease him by calling him a coward

дра́ка SS *f.in* (fist) fistfight; brawl • без дра́ки peacefully

дра́ться EE [*or* EM] деру́тся; [дра́лся *or old-fashioned* дрался́]; *Impf.* (*Pf.* по-) fight, have a (fist) fight

дрожа́ть ES дрожа́т; *intrans; Impf.* (*Pf-once* дро́гнуть; *Pf-begin* за-) tremble, shake

дрожа́щий *pres. active ptcpl. of* дрожа́ть

друг SE *NPlur.* друзья́, *GPlur.* друзе́й *m.an* friend • друг дру́га each other

други́е (*adj. used as plur. noun*) others

друго́й *pronominal adj. inflected like ordinary adj.* different; (an)other; some; next • на друго́е у́тро the next morning; (*when used as animate noun*) another person; (*when used as inanimate noun*) the other thing

дру́жно harmoniously; smoothly; simultaneously

дря́нь[1] SS *f.in* trash (*thing*)

дря́нь[2] SS *f.an* trash, good-for-nothing (*person*)

ду́мать SS -ают; *intrans. Impf.* (*Pf. and Pf-awhile* по-) think

дух[1] smell; breath • во весь дух full speed; перевести́ дух take a (deep) breath

дух[2] SS *m.in* spirit, mind, heart

душа́ ES *ASg.* ду́шу *f.in* soul; heart (*figuratively*) • стоя́ть над душо́й (*colloquial idiom*) breathe down someone's neck

дым SE *Part.* -у, [*Loc.* (в) -у́]; *m.in* smoke

дыми́ть ES -мя́т; *intrans; Impf.* (*no Pf.*) smoke, emit smoke; leak smoke

ды́рка SS (о) *f.in* small hole

дыша́ть MS ды́шат; *pres. active ptcpl.* ды́шащий; *intrans; Impf.* (*Pf-awhile* по-) breathe

дья́вол SS *m.an* devil

дя́дя[1] SS *GPlur.* -ей [*or* SE *NPlur.* дядья́, *GPlur.* дядьёв] *m.an* uncle

дя́дя[2] SS *GPlur.* -ей *m.an* man; mister (*used mostly by children*)

Е

его́ (*see also* он *and* оно́) *indeclinable pronominal adj.* his, its

еди́нственный S (e) only, sole

е́ду *non-past form of* е́хать travel, come/go (*riding, driving*)

едя́т *non-past form of* есть eat

е́жели (*colloquial or archaic*) if • е́жели и... even if...

ёжли (*phonetic spelling of* ёжели)
ёздить SS ёздят, ёзжу; *intrans;
Non-One-way Impf.* (*One-way
Impf.* ёхать; *Pf-awhile* по-)
travel, come/go (*riding, driving*)
ей-бóгу honest to God; by God;
really
ём *non-past form of* есть eat
éсли if
естéственный S (e) natural
есть[1] ES едя́т ём ёшь ёст еди́м
еди́те; ёшь! ёл ёла ёли; *pres.
adv. avoided*; *past adv.* ёв[ши];
ppp (*rare*) ёденный S; *Impf.* (*Pf.*
съ- *and* по-; *Pf-awhile* по-) eat
• хотéть есть be hungry
есть[2] (*also present tense of* бы́ть)
Predicate there is, there are;
(*with prep.* у) have У меня́ *Gen*
есть эта кни́га I have this book
ёхать SS ёдут; поезжáй! [*or
colloquial* езжáй!] (*with negative*
не ёзди!); *pres. adv. avoided*;
intrans; One-way Impf. (*Non-One-
way Impf.* ёздить; *Pf. and
Pf-begin* поéхать) travel,
come/go (*riding, driving*)
ещё[1] *adv* still, yet; some more,
another; again; else • ещё рáз
once again, once more, one more
time; а ещё... and still... ещё
удиви́тельно, как... under the
circumstances, it is surprising
that... ещё бóльше even more;
even bigger
ещё[2] *expression of surprise and/or
annoyance, as in* Каки́е ещё
дéньги? What money?

Ж

ж *colloquial variant of* же
жáба[1] SS *f.an* (*zool.*) toad
жáба[2] SS *f.in* (*med.*) angina
жáкт SS *m.in* (*abbrev. for*
Жили́щно-арéндное
кооперати́вное товáрищество)
ZHAKT (*cooperative institutions
that performed the functions of a
landlord's office in Soviet towns
until late 1930's*)
жалéть SS -éют; *no ppp; Impf.* (*Pf.*
по-) pity, feel sorry (for); be
sorry (about), regret; be
unwilling, think it a shame (*to
spend, give, etc.*) • не жалéть
use, spend without restraint
жáлко *predicate* feel sorry (for)
жáлостливый S soft-hearted
ждáть[1] EM ждýт; *pres. adv.
avoided; ppp avoided; Impf.* (*Pf.
and Pf-awhile* подо-) wait,
await, wait for
ждáть[2] EM ждýт; *pres. adv.
avoided; ppp avoided; Impf.* (*no
Pf.*) expect
ждý *non-past form of* ждáть
же[1] *particle used in the phrases*
тóт же the same, такóй же of
the same kind
же[2] *emphatic particle, highlighting
the preceding word, as in* на нéй
же right on it; *adds a note of
insistence or impatience* я́ же
тебé говорю́ but I'm telling you
жевáть ES жую́т; *ppp* жёванный S;
Impf. (*Pf.* с-, из-) chew, munch
• жевáть губáми roll one's lips
желáние SS *n.in* wish, desire
женá ES *NPlur.* жёны *f.an* wife
жéнщина SS *f.an* woman
живóт EE *m.in* abdomen; stomach
живóтное *used as n.an noun*
animal
живóтный animal

Ж

живу́чий S hard to kill; hard to change, *as in* предрассу́дки живу́чи prejudices die hard

жи́дкий[1] M (o) *compar.* жи́же liquid; fluid; weak, thin (*said of liquids*)

жи́дкий[2] M (o) *compar.* жи́же scanty, barely sufficient

жизнь SS *f.in* life • зараба́тывать на жизнь earn one's living

жиле́ц EE (e) *m.an* lodger; tenant

жир SE *Part.* -у́, [*Loc.* (в/на) -у́]; *m.in* fat; grease

жирови́к EE *m.in* benign tumor caused by fat deposits

жить EM живу́т; *with negative* не́ жил, не́ жило, не́ жили [*or* не жи́л, не жи́ло, не жи́ли] *but* не жила́; *intrans; Impf.* (*Pf.* про-, *Pf-awhile* по-) live • жить да ра́доваться enjoy life; жи́л-бы́л... once upon a time there lived...

житьи́шко S *n.in* (*colloquial, pejorative*) living conditions (*usually poor or modest*); (*slang, when used as an interjection*) What a good little life!

жрать EM жрут; *pres. adv. avoided; ppp avoided; Impf.* (*Pf.* со-) (*neutral when said about animals, rude when applied to a person*) eat; drink (*excessively, alcoholic beverages*)

жуёт *non-past form of* жева́ть munch

З

за[1] *prep. +Acc* beyond, behind; (*in return*) for; after; during, in

за[2] *prep. +Inst.* beyond, behind; after, for; during, at

забыва́ть SS -а́ют; *Impf.* (*Pf.* забы́ть) forget

забы́тый S (*ppp of* забы́ть) forgotten

забы́ть SS -бу́дут; *ppp* забы́тый S; *Pf.* (*Impf.* забыва́ть) forget

зави́деть SS -ви́дят; *Pf.* (*no Impf.*) (*colloquial*) catch sight of

заво́д SS *m.in* factory, plant

завра́ться EE [*or* EM] -вру́тся; [-вра́лся *or old-fashioned* -врался́]; *Pf.* (*Impf.* завира́ться) spin a yarn, get carried away with one's own stories

завсегда́ (*colloquial*) always

за́втра *adverb and indeclinable n.in noun* tomorrow

заглота́ть SS -а́ют; *Pf.* (*Impf.* загла́тывать) (*colloquial*) swallow

зад (*see also* за́дом) SE *m.in* backside, rump

задвига́ть SS -а́ют *Impf.* (*Pf.* задви́нуть) push in, shove in

задви́нуть SS -дви́нут *Pf.* (*Impf.* задвига́ть) push in, shove in

задержа́ть MS -де́ржат; *Pf.* (*Impf.* заде́рживать) detain, delay; withhold; retard; detain, arrest

заде́рживать SS -ают; *Impf.* (*Pf.* задержа́ть) detain, delay; withhold; retard; detain, arrest

за́дом (*colloquial*) *when used as adverb* with one's back towards... *e.g.* он за́дом поверну́лся he turned his back to me

задохну́ться ES -ну́тся; *Pf.* (*Impf.* задыха́ться) gasp for breath, pant; choke (*with emotion, tears, etc.*); suffocate

задрожа́ть ES -дрожа́т; *intrans; Pf-begin* (*Impf.* дрожа́ть) begin to tremble, shake

задыха́ться SS -а́ются; *Impf.* (*Pf.* задохну́ться) gasp for breath, pant; choke (*with emotion, tears, etc.*); suffocate

заже́чь EE -жгу́т, -жгу́, -жжёт; -жёг, -жгла́, -жгли́; *past adv.* -жёгши; *ppp* -жжённый; *Pf.* (*Impf.* зажига́ть) turn on; light up, fire up, kindle, spark, ignite

зажига́ть SS -а́ют; *Impf.* (*Pf.* заже́чь) turn on; light up, fire up, kindle, spark, ignite

зазева́ться SS -а́ются; *Pf.* (*Impf.* зазёвываться) become absent-minded for a moment

заиме́ть SS -е́ют; *no ppp; Pf-begin* (*Impf.* име́ть) (*colloquial*) get, acquire

зайти́ EE зайду́т; *Imperative both* зайди́! *and, more politely,* заходи́! зашёл зашла́ зашли́; *past adv.* зайдя́; *past active ptcpl.* заше́дший; *intrans; Pf.* (*Impf.* заходи́ть) stop by

зака́нчивать SS -ают; *Impf.* (*Pf.* зако́нчить) end, finish

закла́дывать[1] SS -ают; *Impf.* (*Pf.* заложи́ть) put, place (smt. to, into, behind smt. else); mark (a place in a book)

закла́дывать[2] SS -ают; *Impf.* (*no Pf.*) (*slang*) eat greedily, stuff oneself

закла́дывать[3] SS -ают; *Impersonal Impf.* (*Pf.* заложи́ть) *used in the phrases* закла́дывать но́с get stuffy nose, закла́дывать у́ши, *e.g.* Мне́ *Dat* от давле́ния у́ши закла́дывает My ears hurt from the air pressure

зако́н SS *m.in* law

зако́нный S(е) legal, lawful, legitimate; justifiable; rightful

зако́нчить SS -чат; *Pf.* (*Impf.* зака́нчивать) end, finish

закрича́ть ES -крича́т; *intrans; Pf. and Pf-begin* (*Impf.* крича́ть) yell, give a yell, cry out

закрыва́ться SS -а́ются; *Impf.* (*Pf.* закры́ться) close, be closed

закры́тый S (*also ppp of* закры́ть) closed, shut; enclosed

закры́ть SS -кро́ют; *ppp* закры́тый S; *Pf.* (*Impf.* закрыва́ть) close, shut

закры́ться SS -кро́ются; *Pf.* (*Impf.* закрыва́ться) close, be closed

заку́ска SS (o) *f.in* snack; hors-d'oeuvre; chaser (*food*) • вы́пивка с заку́ской drink and chaser (*a bit of food*)

за́л SS *m.in* hall; auditorium

залива́ться SS -а́ются; *Impf.* (*Pf.* зали́ться) burst into, break into (tears, laughter, song, *etc.*) • залива́ться в три́ ручья́ (*colloquial*) cry one's heart out

зали́ться EE [*or* EM] залью́тся; зале́йся! [зали́лся *or* old-fashioned залился́]; *Pf.* (*Impf.* залива́ться) burst into, break into (tears, laughter, song, *etc.*) • зали́ться в три́ ручья́ (*colloquial*) cry one's heart out

заложи́ть[1] MS -ло́жат; *Pf.* (*Impf.* закла́дывать) put, place • у ни́х в мо́рде зало́жено... (*rude*) their faces express...

заложи́ть[2] MS -ло́жат; *Impersonal Pf.* (*Impf.* закла́дывать) *used in the phrases* заложи́ть но́с get a stuffy nose, заложи́ть у́ши, *e.g.* Мне́ *Dat* от давле́ния у́ши заложи́ло My ears hurt from the air pressure

заме́сто (*dialectal or substandard*) instead of

замеча́ние SS *n.in* remark; observation; comment • сде́лать замеча́ние scold, make a critical comment; make a remark

замечта́ться SS -а́ются *Pf-begin* (*no Impf.*) begin to daydream, become lost in one's thoughts, dreams

замота́ться SS -а́ются; *Pf.* (*Impf.* зама́тываться) (*said of string, rope, etc.*) get twisted, turned around smt.; get exhausted (*usually from a hectic day, week, etc.*); (*colloquial*) begin to fidget, begin to stir

замота́ть SS -а́ют; *Pf.* (*Impf.* зама́тывать) wind, twist (around, onto); roll up; wrap (in,

with); wear out, tire out
• замота́ть голово́й begin to
shake one's head
за́ново anew; again
запере́ться[1] EE [or EM] запру́тся;
за́перся заперла́сь за́перли́сь;
past adv. заперши́сь *past active*
ptcpl. за́першийся; *Pf.* (*Impf.*
запира́ться) lock oneself in
запере́ться[2] ES запру́тся; запёрся
запёрлась запёрлись; *past adv.*
запёршись *past active ptcpl.*
запёршийся; *Pf.* (*Impf.*
запира́ться) get stubborn about
some specific situation
запе́ть ES -пою́т, -пою́, -поёт; *ppp*
запе́тый S; *Pf-begin* (*Impf.* пе́ть
and запева́ть) begin to sing
запира́ться SS -а́ются; *Impf.* (*Pf.*
запере́ться) lock oneself in;
(*colloquial*) deny one's guilt or
involvement
записа́ть MS -пи́шут; *Pf.* (*Impf.*
запи́сывать) write down; record;
sign up (smb. for smt.)
запи́сывать SS -ают; *Impf.* (*Pf.*
записа́ть) write down; record;
sign up (smb. for smt.) *e.g.*
запи́сывают меня́ седьмы́м they
put me as number seven (on the
waiting list)
запла́та SS *f.in* patch
запла́тан (*ppp of* заплата́ть)
patched, mended
заплата́ть SS -а́ют *Pf.* (*no Impf.*)
patch, mend, darn
заплати́ть MS -пла́тят; *Pf.* (*Impf.*
плати́ть) pay
зара́доваться SS -ра́дуются;
Pf-begin (*Impf.* ра́доваться)
begin to feel happy • не
зара́дуешься (*a mild threat;*
colloquial) you are not going to
enjoy it
заража́ть SS -а́ют; *Impf.* (*Pf.*
зарази́ть) infect; infest
зараже́ние SS *n.in* infection

зарази́ть ES -зя́т; *Pf.* (*Impf.*
заража́ть) infect; infest
заре́зать SS -ре́жут; *Pf.* (*no Impf.*)
kill (*by stabbing*)
зарыда́ть SS -а́ют; *intrans;*
Pf-begin (*Impf.* рыда́ть) burst
out crying
заряди́ть[1] ES [or MS] -дя́т [*or*
заря́дят]; *Pf.* (*Impf.* заряжа́ть)
load (a gun, camera, *etc.*); charge
(a battery)
заряди́ть[2] ES -дя́т; *Pf.* (*no Impf.*)
(begin to) repeat saying the
same thing over and over; start
(*said about rain, snow, or hail*)
заряжа́ть SS -а́ют; *Impf.* (*Pf.*
заряди́ть) load (a gun, camera,
etc.); charge (a battery)
засия́ть SS -я́ют; *intrans; Pf-begin*
(*Impf.* сия́ть) shine
заска́кивать SS -ают; *intrans;*
Impf. (*Pf.* заскочи́ть) (*slang*)
drop in, stop by
заскочи́ть MS -ско́чат; *intrans; Pf.*
(*Impf.* заска́кивать) (*slang*) drop
in, stop by
засмея́ться ES -смею́тся; *Pf-begin*
(*Impf.* смея́ться) laugh, burst
into laughter
зата́пливать SS -ают; *Impf.* (*Pf.*
затопи́ть) build a fire in a stove,
fireplace, or furnace
зате́м after that, then
зато́ but, but then, but on the
other hand • но зато́ but on the
other hand
затопи́ть MS -то́пят; *Pf.* (*Impf.*
топи́ть *or* зата́пливать) build a
fire in a stove, fireplace, or
furnace
затрясти́сь EE -у́тся; затря́сся
затрясла́сь затрясли́сь; *past*
adv. затря́сшись; *Pf-begin* (*Impf.*
трясти́сь) start to shake
заулыба́ться SS -а́ются; *Pf-begin*
(*Impf.* улыба́ться) begin to
smile

захвати́ть MS -хва́тят; *Pf.* (*Impf.* захва́тывать) thrill, carry away

захва́тывать[1] SS -ают; *Impf.* (*Pf.* захвати́ть) thrill, carry away

захва́тывать[2] SS -ают; *Impf.* (*Pf.* захвата́ть) soil, make dirty by handling

заходи́ть MS -хо́дят; *intrans; Impf.* (*Pf.* зайти́) stop by, call on

захуда́лый S (*colloquial*) bad, inferior

зачасту́ю often

зачем what for, why

зашива́ть SS -а́ют; *Impf.* (*Pf.* заши́ть) sew up, sew in; mend, fix, patch up

заши́ть ES -шью́т; -ше́й! *ppp* заши́тый S; *Pf.* (*Impf.* зашива́ть) sew up, sew in; mend, fix, patch up

заяви́ть MS -я́вят; *Pf.* (*Impf.* заявля́ть) declare, announce

заявля́ть SS -я́ют; *Impf.* (*Pf.* заяви́ть) declare, announce

зва́ный invited • зва́ный го́сть invited guest, welcome guest; зва́ный обе́д dinner party (with invited guests)

зва́ть[1] ЕМ зову́т; *Impf.* (*Pf.* по- *and* вы-) (*with Acc.*) call, summon; invite

зва́ть[2] ЕМ зову́т; *Impf.* (*no Pf.*) (*with Acc. and Inst.*) call (by the name of)

зва́ться ЕМ зову́тся; *Impf.* (*no Pf.*) be called, be known as

здесь here; at this point

здо́рово[1] (*colloquial*) splendidly, magnificently • Здо́рово! Well done!

здо́рово[2] (*colloquial*) *predicate* it's great

здоро́вье SS (и) *n.in* health • на здоро́вье (used with a verb) in good health, *as in* use it in good health (*often can be translated as* enjoy *e.g.* езжа́й на здоро́вье enjoy your ride)

зелёный M *short forms* зе́лен, зелена́, зе́лено, зе́лены́ green

земля́к ЕЕ *m.an* fellow countryman; a person from one's village or town

зима́ ES *ASg.* зи́му (*see also* зимо́й) *f.in* winter

зимо́й (*Inst. of* зима́) in winter

злоде́й SS *m.an* evildoer; villain; scoundrel

злоде́йка SS (e) *f.an* evil, wicked woman

зна́ет *non-past form of* зна́ть

знако́мая *adj. used as f.an noun* acquaintance, friend (*woman*)

знако́мый *used as m./f.an noun* acquaintance, friend

зна́ть SS -а́ют; *no passive forms; Impf.* (*no Pf.*) know • чёрт его́ зна́ет что́ the devil knows what; a darn mess; пёс (и́х) зна́ет (*slang*) you can never tell (with these people); зна́ете ли you know

зна́чит (*also non-past form of* зна́чить) *colloquially used as parenthetical word* so, so then

зна́чить SS -чат; *no passive forms;* (*see also* зна́чит) *Impf.* (*no Pf.*) mean, signify

зовётся *non-past form of* зва́ться be called, be known as

зову́ *non-past form of* зва́ть

зре́ние SS *n.in* vision • то́чка зре́ния point of view; с на́шей ... то́чки зре́ния from our ... point of view

зря (*colloquial*) to no purpose, for nothing, in vain

зу́б SE *NPlur.* зу́бы *m.in* tooth (*animal, human*)

И

и[1] and; even; though; и ... и ... both ... and ...

и[2] too, also; indeed

иди *Imperative of* идти

идти EE идут; шёл шла шли; *past adv.* шедши *intrans; One-way Impf. (Non-One-way Impf.* ходить; *Pf. and Pf-begin* пойти) come, go; run, operate • дело идёт к весне the spring is coming; идёт дождь it's raining, it rains; идёт стирка laundry is being done

иду *non-past form of* идти

из *prep.* +*Gen* from, out of

избранный (*adj. and ppp of* избрать) elected; selected; select; (*used as Plur. an. noun*) the elite

извиниться ES -нятся; *Pf. (Impf.* извиняться) apologize

извиняться SS -яются; *Impf. (Pf.* извиниться) apologize

из-за[1] *prep.* +*Gen* from behind; out of

из-за[2] *prep.* +*Gen* because of

излишек surplus; remainder; excess

или[1] or

или[2] • или... или... either... or...

иметь SS -еют; *no passive forms; Impf. (no Pf.)* have • иметь успех be successful; иметь дело с +*Inst* have to do with; иметь возможность have the opportunity (to); иметь место take place, happen

иметься SS имеются; *Impf. (no Pf.)* be; be present, be available

иначе otherwise; differently; otherwise, or else • иначе и нельзя there's no other way

иной *pronominal adj. inflected like ordinary adj.* different; some; one, a

иностранец SS (e) *m.an* foreigner

интеллигент SS *m.an* civilized person, member of the intelligentsia

интеллигентный S (e) cultured, civilized

интересный S (e) interesting; striking; attractive

исключительно exclusively

искать MS ищут; *Impf. (Pf-awhile* по-) look for, search, seek

искусство SS *n.in* art; craftsmanship

исполнение SS *n.in* fulfillment; carrying out, executing (plans, orders, *etc.*); performing, acting (of a part or a number, *etc.*) • при исполнении служебных обязанностей in the line of duty

исполнить SS -нят; *Pf. (Impf.* исполнять) carry out, execute; fulfill; perform (a part, a number, *etc.*)

исполнять SS -яют; *Impf. (Pf.* исполнить) carry out, execute; fulfill; perform (a part, a number, *etc.*)

испугаться SS -аются; *Pf. (Impf.* пугаться) become frightened

испужаться SS -аются; *Pf. (Impf.* пужаться) (*dialectal or substandard*) become scared, frightened

история SS *f.in* story; event; history

их *indeclinable pronominal adj.* their, theirs; (*also Gen. and Prep. forms of* они)

ишь (*colloquial interjection, expressing surprise or disgust*) There! Ugh! Look!

ищу *non-past form of* искать look for, search

К

к *prep.* +*Dat* to, toward • к чему́? what for?

ка́ждый *pronoun inflected like m.an Sg. adj.* each one, every one

кажи́сь (*colloquial variant of* ка́жется) it seems

каза́ться MS ка́жутся; *pres. adv. avoided; Impf.* (*Pf.* по-) appear, seem (to be)

казённый S (е) official; belonging to the state

казначе́й SS *m.an* treasurer; bursar

как[1] how • ка́к бы as it were; ка́к ля́пну (*slang*) I'll smash you good

как[2] as; like • как то́лько as soon as; как ра́з just right; just then, just at the right time; по́сле того́, как after; в то́ вре́мя, как while; как бу́дто as if; apparently; во́т как that's how, that's what it's like, that's what it is

как-ника́к for all that, all the same

како́й *pronominal adj. inflected like ordinary adj.* what; what kind of; such as • како́е оста́нется = то́, кото́рое оста́нется whatever is left; Скажи́ како́й слу́чай! (*colloquial*) Look how it turned out! смотря́ како́й depending what kind

како́й-нибудь *pronominal adj; only first part inflected* (*like* како́й) some, any, of some kind or other, any kind at all

како́й-то *pronominal adj; only first part inflected* (*like* како́й) some, a; a kind of

кало́ши *Plur. of* кало́ша SS *f.in* galoshes

каре́та SS *f.in* coach, horse-drawn carriage • каре́та ско́рой по́мощи ambulance

карма́н SS *m.in* pocket

карусе́ль SS *f.in* merry-go-round; carousel

каса́емо (*colloquial*) regarding, concerning

каса́ться[1] SS -а́ются; *Impf.* (*no Pf.*) be related to, have to do (with) • что каса́ется... as for...

каса́ться[2] SS -а́ются; *Impf.* (*Pf.* косну́ться) touch; refer to, touch upon (a theme, a subject, *etc.*)

кату́шка SS (е) *f.in* spool; reel; bobbin; roll (*of tickets, etc.*)

кача́ть SS -а́ют; *Impf.* (*Pf-once* качну́ть, *Pf-awhile* по-) shake, swing (part of the body, *as in* кача́ть голово́й shake one's head)

кача́ться SS -а́ются; *Impf.* (*Pf-once* качну́ться, *Pf-awhile* по-) shake, swing

качну́ть ES -ну́т; *ppp avoided; Pf-once* (*Impf.* кача́ть) shake, swing (part of the body, *as in* качну́ть голово́й shake one's head)

квалифици́рованный S (е) *sh.masc.* квалифици́рован qualified, skilled

кварти́ра SS *f.in* apartment

кварти́рка SS (о) *f.in, dimin. of* кварти́ра

кварти́рный apartment

кве́рху up; upward(s)

кипяти́ть ES -тя́т; *Impf.* (*Pf-* вс- *and* про-) boil • кипято́к кипяти́ть (*colloquial*) boil water

кипято́к EE (о) *Part.* -у́ *m.in* boiling water; boiled water • кипято́к кипяти́ть (*colloquial*) boil water

ки́тель SS *m.in* coat (*usually part of a uniform*)

кла́дбище SS *n.in* cemetery

кла́сть ES кладу́т; кла́л кла́ла кла́ли; *past adv.* кла́в[ши]; *no ppp; Impf.* (*Pf.* положи́ть) put, lay

кли́ника SS *f.in* clinic, hospital

кни́жка SS (e) *f.in* book; booklet

ко[1] *variant of* к *prep.* +*Dat* to, toward

ко[2] *variant of* к *prep.* +*Dat* by (a certain time)

когда́ when; while

ко́злик SS *m.an* kid, baby goat

коли́чество SS *n.in* quantity

коллекти́в SS *m.in* group, collective

коллекти́вный S (e) joint, collective

коло́ть MS ко́лют; *Impersonal; Impf.* (*Pf-once* кольну́ть) hurt *e.g.* У меня́ ко́лет в боку́ I have a sharp pain in my side

кольну́ть SS кольну́т; *Impersonal; Pf-once* (*Impf.* коло́ть) have a sudden pain *e.g.* У меня́ кольну́ло в боку́ I felt a sharp pain in my side

коммуна́льный S (e) communal, shared

ко́мната SS *f.in* room • приёмная ко́мната waiting room

компа́ния SS *f.in* company; group • сла́вная компа́ния wonderful bunch of people

конду́ктор SS *NPlur.* -á *m.an* conductor (*on a train, bus, etc.*)

коне́ц EE (e) *m.in* end • в конце́ концо́в in the end; after all, when all's said and done; У меня́ мно́го концо́в (*colloquial*) I have a lot of connections

коне́чно of course, certainly

контролёр SS *m.an* inspector; quality inspector; ticket-collector

контро́ль control, guidance; inspection; verification; monitoring

контро́льный S (e) test, testing; monitoring, checking • контро́льная рабо́та quiz

конфу́зиться SS -зятся; *Impf.* (*Pf.* c-) be embarrassed

конча́ться SS -а́ются; *Impf.* (*Pf.* ко́нчиться) end, terminate, be over

ко́нчиться SS -чатся; *Pf.* (*Impf.* конча́ться) end, terminate, be over

копа́ть SS -а́ют; *Impf.* (*Pf-once* копну́ть, *Pf-awhile* по-) dig (*the ground*)

копа́ться SS -а́ются; *Impf.* (*no Pf.*) dig in; rummage through; (*colloquial*) dawdle, be slow

копну́ть ES -ну́т; *ppp avoided; Pf-once* (*Impf.* копа́ть) dig (*the ground*)

коридо́р SS *m.in* corridor, hall

коро́ткий M (o) *short forms* ко́роток, коротка́, ко́ротко, ко́ротки [*or old-fashioned* коро́ток, коротка́, коро́тко, коро́тки]; *compar.* коро́че short; brief

ко́ротко briefly

косну́ться ES -ну́тся; *Pf.* (*Impf.* каса́ться) touch; refer to, touch upon (a theme, a subject, *etc.*)

кость SE *NPlur.* ко́сти *f.in* bone

костю́м SS *m.in* suit

кото́рый *pronominal adj. inflected like ordinary adj.* which; who

ко́шка SS (e) *f.an* cat (*male or female*); tabby (*female cat*)

кра́жа SS *f.in* theft

кра́йний[1] extreme • в кра́йнем слу́чае at the very worst, if worst comes to worst

кра́йний[2] last, situated at the end or on the edge

кра́йность SS *f.in* excess; extreme degree • до кра́йности to the limit

кран SS *m.in* faucet, spigot, tap, valve

красота́ ES *NPlur.* красо́ты *f.in* beauty • Красота́! (*colloquial*) Splendid!

Кремль EE *m.in* the Kremlin (*in Moscow*)

крéпкий M (o) [sh.Plur. крéпки]
strong

крéпость SE NPlur. крéпости f.in
fortress

крикнуть SS -нут; intrans; Pf-once
(Impf. кричáть) yell, scream

кричáть ES кричáт; intrans; Impf.
(Pf-once крикнуть, Pf. and
Pf-begin за-) yell, scream

кровáть SS f.in bed

кровь SE Loc. (в/на) -и f.in blood

кругóм around; round about

крутить MS крýтят; Impf. (no Pf.)
turn; twist; twirl

крутóй M steep

ктó pronoun who; whoever;
someone, anyone, somebody,
anybody

ктó-нибудь pronoun; only first
part inflected (like ктó)
somebody, anybody, someone,
anyone, somebody or other,
anybody at all

кудá where, to what place

кýльтрабóта SS f.in (shorthand for
культýрно-просветительская
рабóта) the work that is
supposed to raise the cultural
standards of the community
• вести кýльтрабóту spread the
culture and the values of the
civilized world

купáться SS -áются; Impf. (Pf. ис-
and вы-) bathe, swim

куриный chicken • куриная твоя
головá (not common) you chicken
head; куриная мóрда (not
common) chicken face

курить MS курят; Impf. (Pf. вы-
and Pf-awhile по-) smoke
(cigarette, pipe, etc.)

курица SS NPlur. кýры [or
кýрицы] f.an hen; chicken (food)
• как послéдняя курица like
some wretched chicken

курятина SS f.in chicken (as food)

кýхня SS (o) GPlur. кýхонь f.in
kitchen; cooking, cuisine

кýшать SS -ают; Impf. (Pf. по-
and old-fashioned от-) (colloquial
in modern Russian) eat

Л

лáдно all right, OK • а покá и тáк
лáдно but for now it's OK as it is

лáмпочка SS (e) f.in light bulb

ланцéт SS m.in lancet

лéвый S [or M] left

лёгкий (see also лёгкое) Е (o)
sh.masc. лёгок, compar. лéгче
light (in weight); easy, not
difficult

лёгкое adj. used as n.in noun
(anat.) lung • воспалéние лёгких
pneumonia

лёжа (present deverbal adv. of
лежáть) lying down; (slang
expression used to describe a
drunk person) on all fours

лежáть ES лежáт; pres. adv. лёжа;
intrans; Impf. (Pf-awhile по-) lie,
repose; sit, be placed (said about
things)

ленинградский Leningrad

лéс SE Loc. (в) -ý, NPlur. -á m.in
forest, woods

лéстница SS f.in stairs, stairway,
ladder

лéт (GPlur. of гóд) (used after
numerals and quantity words)
years

лéтний summer

лéто SS Plur. hypothetical (see also
лéтом) n.in summer; (in Plur.)
years

лéтом (Inst. of лéто) in summer

лечéбница SS f.in clinic

лечиться MS лéчатся; Impf. (Pf.
вы-, Pf-awhile по-) be treated
(by a doctor)

лечýсь non-past form of лечиться

лечь SE лягут лягу ляжет;
Imperative both ляг! and, more
politely, ложись! лёг леглá

легли́; *past adv.* лёгши; *intrans;
Pf.* (*Impf.* ложи́ться) lie down
ли[1] *used in questions such as*
возмо́жно ли? is it possible?
ли[2] whether, if; whether ... or ...
лимона́д SS *Part.* -у *m.in* a soft
drink, a kind of soda
ли́ния SS *f.in* line (*in various
meanings e.g. drawn or painted
line, tram line, electric line, etc.,
but not in the meaning of string,
rope, or queue*)
лицо́ ES *n.in* face
ли́чность[1] SS *f.in* personality
• переходи́ть на ли́чности
(*colloquial*) get personal, talk in a
personally offensive way
ли́чность[2] SS *f.in* (*colloquial*)
appearance; (*colloquial*) face
ли́шний S (e) *sh.masc. hypothetical*
extra, spare; extra, more than
necessary, more than intended
лоб EE (o) *Loc.* (во/на) -у́ *m.in*
forehead; brow
ложи́ть MS ло́жат; *pres. active
ptcpl.* ло́жащий; *Impf.* (*Pf.* по-)
(*dialectal or substandard*) put,
place, lay
ложи́ться ES -жа́тся; *Impf.* (*Pf.*
ле́чь) lie down • с нога́ми
ложи́ться lie down with one's
feet up on the bed (couch, *etc.*)
лу́чше *compar. of* хорошо́ better;
preferably, *e.g.* Я лу́чше куплю́
кни́гу, чём руба́шку I'd rather
buy a book than a shirt; I'd
sooner buy a book than a shirt
лу́чший better; best
любе́зный S (e) courteous; polite;
amiable • бу́дьте любе́зны please
люби́ть MS лю́бят; *pres. active
ptcpl.* лю́бящий; *pres. passive
ptcpl.* люби́мый; *Impf.* (*Pf-begin*
по-) love; like
любова́ться SS -бу́ются; *Impf.*
(*Pf-awhile* по-) admire, feast
one's eys on

любо́вь EE (o) *1Sg.* любо́вью; *f.in*
love; fondness
любопы́тство SS *n.in* curiosity
лю́ди (*Plur. of* челове́к)
#-*declension m.an* people • на
лю́дях in the open, not
concealed
ля́пать SS -ают; *Impf.* (*Pf-once*
ля́пнуть) (*colloquial*) make a
blunder; blurt out; (*slang*) hit,
smash
ля́пнуть SS -нут *Pf-once* (*Impf.*
ля́пать) (*colloquial*) make a
blunder; blurt out; (*slang*) hit,
smash • ка́к ля́пну (*slang*) I'll
smash you good

М

мадепола́м SS *Part.* -у; *m.an* (*from
Madapolam, a city in India*) a
kind of fine cotton cloth
макаро́ны S *Plur. only;
a-declension f.in* macaroni,
spaghetti
ма́ленький E *short forms* мал,
мала́, мало́, малы́; *compar.*
ме́ньше *and* ме́ньший little, small
ма́ло[1] little, not much
ма́ло[2] *predicate* it is not enough
e.g. Мне́ ма́ло су́па Soup alone is
not enough (food) for me
ма́ло[3] *numeral; Acc. = Nom; no
other forms* few, not many; little,
not much *e.g.* У меня́ ма́ло су́па
I don't have much soup
ма́лоопа́сный S (e) not very
dangerous
ма́льчик SS *m.an* boy, little boy
• ма́льчик на подхва́те
handyman
мальчи́шка SS (e) *m.an* (*slightly
pejorative*) boy, youth
мама́ша SS *f.an* mother; (*a
colloquial way of addressing a
middle-aged woman*) ma'am,
woman

Мари́инская (больни́ца) *name of a hospital*

мародёрствовать SS -уют; *intrans; Impf. (no Pf.)* rob and pillage, sack

матро́с SS *m.an* sailor

ма́ть SE *GPDSg.* ма́тери, *ISg.* ма́терью, *NPlur.* ма́тери; *f.an* mother

маха́ть MS ма́шут [*or colloquial* SS маха́ют]; *intrans; Impf.* (*Pf-awhile* по-, *Pf-begin* за-, *and Pf-once* махну́ть) flap; wave

махну́ть ES -ну́т; *intrans; Pf-once* (*Impf.* маха́ть) wave (*a hand, etc.*) • махну́ть руко́й на +*Acc* decide not to worry, shrug it off, decide not to bother

маши́на SS *f.in* car, automobile

ме́дик SS *m.an* doctor, physician

медици́на SS *f.in* medicine, medical science

медици́нский medical

ме́жду *prep.* +*Inst/Gen* between; among • ме́жду те́м meanwhile; ме́жду про́чим by the way

ме́лкий M (о) [*sh.Plur.* мелки́] *compar.* ме́льче small, petty; shallow (*literally and figuratively*)

ме́лкобуржуа́зный S (е) petty-bourgeois

мелька́ть SS -а́ют; *intrans; Impf.* (*Pf-once* мелькну́ть) flash, flash by; occur, *as in* it occurred to me that... *e.g.* у меня́ мелька́ла мы́сль... the thought would flash across my mind...

мелькну́ть ES -ну́т; *intrans; Pf-once* (*Impf.* мелька́ть) flash, flash by; occur, *as in* it occurred to me that... *e.g.* у меня́ мелькну́ла мы́сль... the thought flashed across my mind...

мельча́йший (*superlative* of ме́лкий small) tiny

ме́нее less • тем не ме́нее nonetheless

ме́рзкий M (о) *compar.* мерзе́е *or* ме́рзче loathsome; vile; rotten; foul; disgusting

месткóм SS *m.in* (*abbrev. for* ме́стный комите́т) local trade union board

ме́сто SE *n.in* place, area • топта́ться на ме́сте shift (from one foot to another); walk in place

ме́сяц SS *m.in* month; crescent; moon

меща́нский petty-bourgeois; narrow-minded

меща́нство SS *n.in* middle class; narrow-minded middle class aspirations

миллионе́р SS *m.an* millionaire

ми́лый M [*sh.Plur.* милы́] dear (*as mode of address*); nice

мину́та SS *f.in* minute; moment

ми́р SE *m.in* peace; world

мла́дший junior; younger, youngest

мно́гие *pronoun, inflected like Plur. anim. adj.* (*see also* мно́го, мно́гое) many, many people

мно́го many, much, a lot • мно́го вы понима́ете (*sarcastic*) hell of a lot *you* understand

моветóн SS *m.in* (*from the French* mauvais ton) bad manners, social faux pas

мог *past tense form of* мочь

мо́жет *non-past form of* мочь; (*colloquially used as a parenthetical word*) perhaps

мо́жно *predicate* it is possible, one can; it is permissible, one may

мой *special adj.* my, mine

мол (*colloquial particle used to introduce a quotation or paraphrase*) he says; they say

молоде́ц EE (е) *m.an* good worker, student, guy, *etc.* • Молоде́ц! Nice going!

молодо́й M *short forms* мо́лод, молода́, мо́лодо, мо́лоды;

M

compar. мла́дше (*said only of animate beings*) *and* моло́же (*no restrictions*) young

мо́лча silently, without saying anything, wordlessly

моме́нт SS *m.in* moment

моно́кль SS *m.in* monocle; eye-glass

мора́ль SS *f.in* morals; morality (*colloquial*), moralizing

мо́рда SS *f.in* snout; muzzle; (*rude*) mug, face • кури́ная мо́рда (*not common*) chicken face

морда́стый S (*colloquial*) fat-faced, big-faced

мордобо́й SS *m.in* fistfight, squabble

мо́рдочка SS (e) *f.in dimin. of* мо́рда (*endearing*)

мочево́й пузы́рь bladder

мочь ME мо́гут могу́ мо́жет; мог могла́ могли́; *no pres. adv; past adv.* мо́гши; *intrans; Impf.* (*Pf.* с-) be able, can • мо́жет бы́ть maybe, perhaps, possibly

мо́ю *non-past form of* мы́ть wash

мо́юсь *non-past form of* мы́ться wash

мо́я *pres. deverbal adv. of* мы́ть

мужчи́на SS *m.an* man

му́зыка SS *f.in* music (*the art, the sound, etc., but not sheet music*)

мука́[1] ES *f.in* meal (*grain*); flour

му́ка[2] torment; torture

му́ха SS *f.an* fly
• быть/находи́ться под му́хой be drunk, sotted

мы *pronoun* we

мы́ла *past tense form of* мы́ть wash *and Gen.Sg. of* мы́ло soap

мы́лить SS -лят; *Impf.* (*Pf.* на-) soap; lather

мы́ло SE *n.in* soap

мысль SS *f.in* thought

мыть SS мо́ют; *ppp* мы́тый S; *Impf.* (*Pf.* вы- *and* по-) wash (*face, floor, etc., but not clothes*)

мытьё EE *n.in* (the process of) washing

мы́ться SS мо́ются; *Impf.* (*Pf.* вы- *and* по-) wash, wash up (*said of one's hands, face, body*)

мя́со S *n.in* meat

Н

на[1] *prep.* +*Prep* on; at; in;

на[2] *prep.* +*Acc* on, onto; to; for

на́[3] here, here you are, take it

набалда́шник SS *m.in* knob, ball-shaped handle; lump, any knob-shaped object

набега́ть SS -а́ют; *intrans; Impf.* (*Pf.* набежа́ть) run up, add up, accumulate

набежа́ть ES -бегу́т -бегу́ -бежи́шь -бежи́т -бежи́м -бежи́те; *intrans; Pf.* (*Impf.* набега́ть) run up, add up, accumulate

наве́рно probably, most likely

наве́рное *variant of* наве́рно

наверну́ть ES -ну́т *Pf.* (*Impf.* навора́чивать) eat fast and greedily; do smt. fast and with a lot of energy

наверте́ть MS -ве́ртят; *ppp* наве́рченный S; *Pf.* (*Impf.* наве́рчивать) roll up, wind up get the dial (of a meter, *etc.*) up to a certain point

навора́чивать[1] SS -ают; *Impf.* (*Pf.* наверну́ть) (*colloquial*) eat fast and greedily; do smt. fast and with a lot of energy

навора́чивать[2] SS -ают; *Impf.* (*Pf.* навороти́ть) pile up, heap up

навря́д ли (*colloquial*) hardly, it is doubtful that...

нагиба́ться SS -а́ются; *Impf.* (*Pf.* нагну́ться) bend (down), stoop

нагну́ться ES -у́тся; *Pf.* (*Impf.* нагиба́ться) bend (down), stoop

над *prep.* +*Inst* over, above; on
• стоя́ть над (его́) душо́й
breathe down (his) neck
надева́ть SS -а́ют; *Impf.* (*Pf.*
наде́ть) put on (*said of clothes*)
наде́ть SS -де́нут; *ppp* наде́тый S;
Pf. (*Impf.* надева́ть) put on (*said
of clothes*)
на́до *predicate* have to, must,
ought to, need to; need (smt.)
e.g. Мне́ на́до кни́гу I need a
book
нажра́ться EE [*or* EM] -жру́тся;
[-жра́лся *or old-fashioned*
-жрался́]; *Pf.* (*Impf.*
нажира́ться) (*normally said about
animals; rude when said about a
person*) eat a lot of something,
"pig out"; (*rude*) get drunk
наза́втра the next day
наза́д back, backwards
наилу́чше (*colloquial*) best
наилу́чший best
найдётся *non-past form of*
найтись
найти́ EE найду́т; нашёл нашла́
нашли́; *past adv.* найдя́; *past
active ptcpl.* наше́дший; *ppp*
на́йденный S; *Pf.* (*Impf.* нахо-
ди́ть) find
найти́сь EE найду́тся; нашёлся
нашла́сь нашли́сь; *past adv.*
найдя́сь; *past active ptcpl.*
наше́дшийся; *Pf.* (*Impf.*
находи́ться) be found, turn up
• У ва́с не найдётся +*Gen*?
Would you happen to have...?
наконе́ц finally; at last; in the end
налёг *past tense form of* налечь
налега́ть SS -а́ют *Impf.* (*Pf.*
налечь) lean on; throw oneself
into, engage in smt. with much
energy or gusto
налечь SE наля́гут наля́гу
наля́жет; наля́г! налёг налегла́
налегли́; *past adv.* налёгши;
intrans; Pf. (*Impf.* налега́ть) lean
on; throw oneself into, engage in

smt. with much energy or gusto
e.g. о́н на бламанже́ налёг he
took to the blancmange (*a
French dessert*)
налива́ть SS -а́ют; *Impf.* (*Pf.*
нали́ть) pour (*said of liquids*)
нали́ть EM -лью́т; -ле́й! на́ли́л
налила́ на́ли́ли; *ppp* на́ли́тый M;
Pf. (*Impf.* налива́ть) pour (*said
of liquids*)
намы́ливать SS -ают *Impf.* (*Pf.*
намы́лить) soap; lather
намы́лить SS -лят; *Pf.* (*Impf.*
намы́ливать) soap; lather
напада́ть SS -а́ют; *intrans; Impf.*
(*Pf.* напа́сть) attack; grip, seize,
as in I was seized by fear
напасти́сь EE -пасу́тся; напа́сся
напасла́сь напасли́сь; *past adv.*
напа́сшись; *Pf.* (*Impf.*
напаса́ться) save up enough of
smt. • не напасёшься... one
would run out of,.. one won't
have enough of...
напа́сть ES нападу́т; напа́л напа́ла
напа́ли; *past adv.* напа́в[ши];
intrans; Pf. (*Impf.* напада́ть)
attack; grip, overcome, seize, *as
in* I was seized by fear
напаса́ться SS -а́ются; *Impf.* (*Pf.*
напасти́сь) save up
напива́ться SS -а́ются; *Impf.* (*Pf.*
напи́ться) drink one's fill; get
drunk
напи́ток SS (о) *m.in* drink,
beverage • кре́пкий напи́ток
alcoholic beverage
напи́ться EE [*or* EM] напью́тся;
напе́йся! [напи́лся *or old-
fashioned* напился́]; *Pf.* (*Impf.*
напива́ться) drink one's fill; get
drunk
напра́виться SS -вятся; *Pf.* (*Impf.*
направля́ться) make for, head
for
направля́ться SS -я́ются; *Impf.*
(*Pf.* напра́виться) make for,
head for

Н

наприме́р for example, for instance

наре́чие SS *n.in* adverb; dialect

нарза́н SS *Part.* -у *m.in* narzan (*mineral water*)

наро́дный S (e) national; folk; people's

наро́чно on purpose, deliberately, intentionally; for appearance's sake

нару́жность SS *f.in* exterior; (external) appearance, looks

нару́жный S (e) outward, external

наряду́ along (with), at the same time (with)

настоя́щий S real, genuine, current • по-настоя́щему really, in actuality; with real force, energy, *etc.*

настрижёт *non-past form of* настри́чь

настри́чь ES настригу́т настригу́ настрижёт; настри́г настри́гла настри́гли; *past adv.* настри́гши; *Pf.* (*Impf.* настрига́ть) cut a bunch (of smt.), cut a lot (of smt.)

натура́льный S (e) natural; real

находи́ть MS -хо́дят; *Impf.* (*Pf.* найти́) find

находи́ться MS -хо́дятся; *Impf.* (*no Pf.*) be; be located, be found • находи́ться под му́хой (*slang*) be under the influence (of alcohol)

на́ция SS f.in nation; ethnic group

нача́ло SS *n.in* beginning • в нача́ле пятидеся́тых годо́в in the early fifties

нача́ть EM начну́т; на́чал начала́ на́чали; *ppp* на́чатый M; *Pf.* (*Impf.* начина́ть) begin, start

нача́ться EE начну́тся; начался́ *Pf.* (*Impf.* начина́ться) begin, start

начина́ть SS -а́ют; *Impf.* (*Pf.* нача́ть) begin, start

начина́ться SS -а́ются; *Impf.* (*Pf.* нача́ться) begin, start

начну́т *non-past form of* нача́ть

наш *special adj.* our, ours

нашёл *past tense form of* найти́ find

нашёлся *past tense form of* найти́сь be found, turn up, happen to be there

не[1] not; neither

не́[2] *separable component of* не́кого *and* не́чего, *as in* не́ с кем говори́ть there's no one to talk with, не́ о ко́м говори́ть there's no one to talk about

небольшо́й *no short forms, no compar.* small • (*when used with a unit of measure such as* го́д/де́нь/ру́бль *etc.*) с небольши́м a little over (a year/day/rouble *etc.*)

небо́сь (*parenthetical word used in colloquial style to emphasize the speaker's confidence in the related facts*) I suppose, I reckon

не́где *predicate* there is nowhere, have nowhere *e.g.* Мне́ не́где жи́ть I have nowhere to live

него́ *Gen.* of о́н *and* оно́ *used after prepositions*

неда́вний S recent

неда́вно recently

неде́ля SS *f.in* week

недоразуме́ние SS *n.in* misunderstanding

недоста́ток SS (o) *m.in* deficiency, lack; drawback

недочёт SS *m.in* defect; shortcoming; inconvenience

незаслу́женный S (e) *sh.masc.* незаслу́жен undeserved

неинтере́сно *predicate* it is not interesting; it is not exciting, attractive

неинтере́сный S (e) uninteresting; unexciting, dull; of no interest

некоторые[1] *pronominal adj,
inflected like Plur. ordinary adj.*
only some, not all

некоторые[2] *pronoun, inflected like
Plur. anim. adj.* some people,
some

некуда *predicate* there is
nowhere, have nowhere *e.g.* Мне
некуда идти. There's nowhere
for me to go.

некультурный S (e) backward;
boorish; uncivilized

нельзя *predicate* it is impossible;
it is not allowed; one cannot,
should not, ought not • иначе и
нельзя there's no other way

немного a little, some, a bit, a
few, a little ways

неохота *predicate* (*colloquial*)
reluctant, unwilling, *e.g.* Мне
Dat неохота +*Inf.* I don't feel like
(*doing smt.*); I don't care to (*do
smt.*); мыться неохота one
doesn't want to wash

неподвижный S (e) motionless

непременно without fail;
certainly, absolutely; sure

неприличный S (e) indecent;
improper

непьющий non-drinking (person),
teetotaler

несколько some, a few;
somewhat, rather, slightly

несомненно[1] undoubtedly;
doubtlessly; indubitably;
unquestionably

несомненно[2] (*predicate*) it is
certain, it is inevitable *e.g.* одно
несомненно... one thing is
certain...

нести EE несут; нёс несла несли;
*pres. passive ptcpl. (old-
fashioned)* несомый; *past adv.*
нёсши *One-way Impf.*
(*Non-One-way Impf.* носить;
Pf-begin по-) carry, bring, take

несъедобный inedible; uneatable

нет no; yes (*in answer to a
negative question e.g.* Икры нет?
—Нет, икра есть Is there no
caviar? —Yes, there is);
predicate there is/are no; have
no У меня нет этой книги I don't
have this book • ни хрена нет
(*slang*) there is nothing at all,
not a button

нету *colloquial variant of* нет

неудобство SS *n.in* inconvenience;
hindrance; discomfort

нехорошо[1] rather poorly, not too
well

нехорошо[2] *predicate* it is not very
good *e.g.* Нехорошо так
говорить It is not very nice to
say such things

нечего *predicate and predicative
pronoun* there is no, there is
nothing; have nothing, have no
e.g. Мне нечего делать I have
nothing to do; делать нечего
nothing doing, nothing can be
done

ни[1] not a, not a single (one); (*in
phrases with question words*)
-ever *e.g.* что бы он ни говорил
whatever he might say • ни
хрена нету (*slang*) there is
nothing at all, not a button

ни[2] • ни... ни... neither ... nor

нижний lower • нижняя рубаха
undershirt

никак in no way, by no means
• Никак ты? (*colloquial*) Can it be
you?

никакой *pronominal adj. inflected
like ordinary adj.* no, none
whatsoever

никогда never, not ever

никто *pronoun* nobody, no one

нипочём (*colloquial*) under no
circumstances, no way

них *Acc/Gen, Prep form of* они

ничего nothing; it's not bad, it's
alright • Это ничего That's
nothing, that's OK, don't

H

worry/bother about it; ничего
такóго nothing of the kind
нó[1] but; nevertheless, still
нó[2] *indeclinable n.in* but, a but, an
objection
нó[3] giddy-up!
ногá EE *ASg.* нóгу, *NPlur.* нóги
f.in leg; foot • с ногáми
ложи́ться lie down with one's
feet up on the bed (couch, *etc.*)
нóжка SS (е) *f.in* (*dim. of* ногá)
leg; foot; leg (of a table, chair,
etc.) • остáвить рóжки да нóжки
(*idiom*) decimate, destroy
something so thoroughly that
nothing or almost nothing is left
нóмер[1] SE *NPlur.* -á *m.in* number,
as in apartment number,
telephone number, *etc.*; number,
issue (of a magazine, newspaper,
etc.); concert number
нóмер[2] SE *NPlur.* -á *m.in same as*
номерóк
нóмер[3] SE *NPlur.* -á *m.in* hotel
room
номерóк EE (о) *m.in* hat check,
coat check, tag, slip given at a
cloakroom
нормáльный S (е) ordinary,
normal; healthy, normal
нóс SE *Loc.* (в/на) -ý *m.in* nose
• посáпывать нóсом sniffle
носи́лки S (о) *Plur. only;*
a-declension f.in stretcher
носи́ть[1] MS нóсят; *pres. passive*
ptcpl. носи́мый *Non-One-way*
Impf. (*One-way Impf.* нести́;
Pf-awhile по-) carry, bring, take
носи́ть[2] MS нóсят; *pres. passive*
ptcpl. носи́мый *Impf.* (*Pf-awhile*
по-) wear
носки́ *Plur. of* носóк
носóк EE (о) *m.in* sock; toe (of a
shoe)
носóчек SS (е) *m.in dimin. of*
носóк

нóчь SE *Loc.* (в) -и́, *NPlur.* нóчи
f.in night • нá ночь глядя late in
the day, when it's almost night
нóчью at night
нрáвиться SS -вятся; *Impf.* (*Pf.*
по-) please, like, *as in* Емý
нрáвилась моя сестрá. He liked
my sister.
нý well; well then
нуждá ES *f.in* need; necessity • в
слýчае нужды́ in case of need; if
need be
нýжно *predicate* have to, must,
ought to, need to
ны́нче (*colloquial*) nowadays
нырнýть ES -нýт; *intrans; Pf-once*
(*Impf.* ныря́ть) dive
ныря́ть SS ныря́ют; *intrans; Impf.*
(*Pf-once* нырнýть) dive
НЭП SS *m.in* (*abbrev. of* Нóвая
Экономи́ческая Поли́тика, *also*
spelled нэп) New Economic
Policy (partial return to
small-scale private enterprise in
the USSR in the 1920's)
ню́хать SS -ают; *Impf.* (*Pf.* по-)
smell; sniff; take a whiff of

O

ó[1] oh!
о[2] *prep.* +*Prep* about, concerning
о[3] *prep.* +*Acc* against, *as in* strike,
hit, bump against
об[1] *prep.* +*Prep* about, concerning
об[2] *prep.* +*Acc* against, *as in*
strike, hit, bump against
óба *numeral; fem.* óбе both
обéд SS *m.in* dinner; dinner party
обéдать SS -ают; *intrans; Impf.*
(*Pf.* по-) dine, have dinner
обезья́на SS *f.an* monkey; ape
обернýться ES -нýтся; *Pf.* (*Impf.*
обёртываться, обора́чиваться)
turn around; look around; look
back

обиженный[1] S *sh.masc.* обижен
hurt, offended, annoyed (*look,
voice, etc.*)

обиженный[2] S *short forms* обижен,
-жена, -жено, -жены *compar.*
-женнее hurt, offended, annoyed
(by smt./smb.) (*person*)

обличность SS *f.in* (*substandard;
not common*) appearance

обменивать SS -ают; *Impf.* (*Pf.*
обменять) exchange

обменять SS -яют; *Pf.* (*Impf.*
обменивать *and* менять)
exchange

обождать EM -ждут; *ppp
avoided; Pf.* (*no Impf.*)
(*colloquial*) wait

оборачиваться SS -аются; *Impf.*
(*Pf.* обернуться) turn around

оборот SS *m.in* turn, revolution;
turn (of events) • дело принимает серьёзный оборот it looks
like trouble

образ SS *m.in* image, idea,
conception (of smt./smb.);
manner, way • таким образом in
this/that way, thus; достойным
образом in a fitting manner,
properly; главным образом
mainly, for the most part

образование SS *n.in* education

обратить ES -тят -щу; *Pf.* (*Impf.*
обращать) turn, place, orient
(toward) • обратить внимание
на +*Acc* pay attention (to), turn
one's attention (to); notice

обратиться ES -тятся -щусь; *Pf.*
(*Impf.* обращаться) turn (to),
address

обратно[1] back, backwards

обратно[2] (*colloquial*) again

обращать SS -ают; *Impf.* (*Pf.*
обратить) turn, place, orient
(toward) • обращать внимание
на +*Acc* pay attention (to), turn
one's attention (to); notice

обращаться[1] SS -аются; *Impf.* (*Pf.*
обратиться) turn (to), address

обращаться[2] SS -аются; *Impf.* (*no
Pf.*) treat (smb./smt. in a
certain way)

обрезать SS -режут; *Pf* (*Impf.*
обрезать) clip, trim; cut, cut
short, snub

обрезать SS -ают; *Impf.* (*Pf.*
обрезать) clip, trim; cut, cut
short, snub

обстановка SS (о) *f.in* situation

обстоятельство SS *n.in*
circumstance

общепринятый S generally
accepted; conventional

общество SS *n.in* society

общий general; common • в
общем in general, on the whole

объяснить ES -нят; *Pf.* (*Impf.*
объяснять) explain

объяснять SS -яют; *Impf.* (*Pf.*
объяснить) explain

обыденный S (e) *sh.masc.* обыден;
ordinary; everyday

обыкновенный S (e) usual,
ordinary

обязанность SS *f.in* responsibility;
duty • при исполнении
служебных обязанностей in the
line of duty

обязательно absolutely; without
fail; one must; for sure, of course

ограничивать SS -ают; *Impf.* (*Pf.*
ограничить) limit; restrict;
confine

ограничить SS -чат; *Pf.* (*Impf.*
ограничивать) limit; restrict;
confine

огромный S (e) huge

одетый S (*also ppp of* одеть)
dressed, clothed

одеваться SS -аются; *Impf.* (*Pf.*
одеться) dress, put on clothes

одеться SS -денутся; *Pf.* (*Impf.*
одеваться) dress, put on clothes

один *special adjective and numeral*
one; single; a; alone; sole • один
за другим one after the other;
только один X *ambiguous, either*

only X, X alone, nothing but X
or only one X; оди́н тако́й дя́дя
some guy, a guy; одни́м сло́вом
(*used parenthetically*) in short, in
a word; гре́х оди́н (*colloquial*)
this is all wrong, nothing but
trouble; одно́ вре́мя at one time;
(*colloquial*) alone, *as in* одного́
электри́чества ушло́ на пя́ть
рубле́й electricity alone cost
five rubles; ни в одно́м глазу́
sober as a judge

одна́жды once, one day (in the
past)

одна́ко however; but; only;
though; • Одна́ко! You don't say!

одно́ *pronoun* (*see also* оди́н) one
thing • одно́ несомне́нно one
thing is certain; одно́ вре́мя at
one time

одолже́ние SS *n.in* favor

оживлённо lively, excitedly, with
animation

оживлённый S (e) *sh.masc.*
оживлён animated, lively

ожида́ть SS -а́ют; *no ppp; Impf.*
(*no Pf.*) wait for; await; expect

ожида́ющий *pres. active ptcpl. of*
ожида́ть *used as animate noun*
the waiting person

ой-е́й *interjection expressing*
embarrassment and/or
disappointment

ока́нчивать SS -ают; *Impf.* (*Pf.*
око́нчить) finish, end; graduate
(from)

ока́нчиваться SS -аются; *Impf.*
(*Pf.* око́нчиться) end, be finished

окно́ ES (o) *n.in* window

о́коло *prep.* +*Gen* by, near; around,
in the vicinity of • о́коло
са́мого... right by...

око́нчить SS -чат; *Pf.* (*Impf.*
ока́нчивать) finish, end;
graduate (from)

око́нчиться SS -чатся; *Pf.* (*Impf.*
ока́нчиваться) end, be finished

окружа́ть SS -а́ют; *Impf.* (*Pf.*
окружи́ть) surround; encircle;
gather round

окружа́ющие (*pres. ptcpl. of*
окружа́ть *used as Plural animate
noun*) those present around one;
one's associates

окружи́ть ES -жа́т; *Pf.* (*Impf.*
окружа́ть) surround; encircle;
gather round

он *pronoun; use* него́, нём, нему́,
ним *after prepositions* he; it

она́ *pronoun; use* неё, ней, не́ю
*after prepositions; the Inst.
variant* е́ю *is preferred over* ей,
but after prepositions use either
ней *or* не́ю she; it

они́ *pronoun; use* них, ним, ни́ми
after prepositions they

оно́[1] *pronoun; use* него́, нём, нему́,
ним *after prepositions* it

оно́[2] • Во́т оно́ что́! Oh, I see!

опа́сность SS *f.in* danger

операцио́нный S (e) operating;
surgical; (*used as f.in noun*)
operating room

опера́ция SS *f.in* operation
(*military, police, etc.*); operation,
surgery

определи́ть ES -ля́т; *Pf.* (*Impf.*
определя́ть) define; determine

определя́ть SS -я́ют; *Impf.* (*Pf.*
определи́ть) define; determine

о́пухоль SS *f.in* swelling; tumor

о́пыт SS *m.in* experience;
experiment

опя́ть again • опя́ть же (*colloquial*)
and also

ора́ть ES ору́т; *Impf.* (*Pf-awhile*
по-) shout, yell

о́рган SS *m.in* organ (*institution and
part of the body*)

орёт *non-past form of* ора́ть

оскорби́тельный S (e) insulting;
abusive

оскорбле́ние SS *n.in* insult

ослабева́ть SS -а́ют; *intrans; Impf.*
(*Pf.* ослабе́ть) weaken, become
weak

ослабе́ть SS -е́ют; *intrans; Pf.*
(*Impf.* ослабева́ть) weaken,
become weak

осла́бнуть SS -нут; осла́б, осла́б-
ла *past active ptcpl.* осла́бший
Pf. (*Impf.* ослабева́ть) weaken,
become weak

осла́бший (*past active ptcpl.* of
осла́бнуть become weak) weak,
weakened

осма́тривать SS -ают; *Impf.* (*Pf.*
осмотре́ть) inspect; look over,
examine

осмотре́ть MS -смо́трят; *ppp*
осмо́тренный S; *Pf.* (*Impf.*
осма́тривать) inspect; look over,
examine

осо́ба SS *f.an* (*often ironic*) person

осо́бенно especially; particularly

осо́бенный S special; particular

осо́бо (*colloquial*) especially;
particularly

осо́бый S special, particular

осрами́ться ES -мя́тся; осрамлю́сь
Pf. (*Impf.* срами́ться) get into
an embarrassing situation; cover
oneself with shame

остава́ться ES -стаю́тся; -става́й-
ся! *pres. adv.* -става́ясь; *Impf.*
(*Pf.* оста́ться) stay, remain

оста́вить SS -вят; *Pf.* (*Impf.*
оставля́ть) leave (smt. *or* some
place) • оста́вить ро́жки да
но́жки (*idiom*) destroy
something so thoroughly that
nothing or almost nothing is left;
оста́вьте тро́гать (*substandard*)
"let it alone," "leave off"
touching it

оставля́ть SS -я́ют; *Impf.* (*Pf.*
оста́вить) leave (smt. *or* some
place)

остально́й *pronominal adj.
inflected like ordinary adj.*
remaining, the rest

оста́нется *non-past form of*
оста́ться

остана́вливать SS -ают *Impf.* (*Pf.*
останови́ть) stop (smt./smb.)

остана́вливаться SS -аются; *Impf.*
(*Pf.* останови́ться) stop (*moving,
talking, etc.*); stay, put up

останови́ть MS -но́вят; *Pf.* (*Impf.*
остана́вливать) stop (smt./smb.)

останови́ться MS -но́вятся; *Pf.*
(*Impf.* остана́вливаться) stop
(*moving, talking, etc.*); stay, put
up

оста́ток SS (о) *m.in* residue;
leftovers

оста́ться SS -нутся; *Pf.* (*Impf.* ос-
тава́ться) stay, remain; be left
over

о́стрый M (ё) *sh.masc.* остёр [*or*
о́стр *sh.neut.* остро́ *sh.Plur.*
о́стры́] sharp; spicy

остыва́ть SS -а́ют; *intrans; Impf.*
(*Pf.* осты́ть) get cold; cool off

осты́ть SS осты́нут; *intrans; Pf.*
(*Impf.* остыва́ть) get cold; cool
off

от *prep.* +*Gen* from; of; for; to

отбыва́ть SS -а́ют; *Impf.* (*Pf.*
отбы́ть) depart, leave

отбы́ть SM *future* -бу́дут; -бу́дь!
о́тбыл, -а́, -о, -и [*or* отбы́л, -а́,
-о, -и], *past act. ptcpl.* отбы́в-
ший; *intrans; Pf.* (*Impf.*
отбыва́ть) depart, leave

отвлека́ть SS -а́ют; *Impf.* (*Pf.*
отвле́чь) distract, divert

отвле́чь EE -влеку́т -влеку́
-влечёт; -влёк -влекла́ -влекли́;
past adv. -влёкши; *Pf.* (*Impf.*
отвлека́ть) distract, divert

отверну́ться ES -ну́тся; *Pf.* (*Impf.*
отвора́чиваться) turn aside,
away

отве́тить SS -тят; *intrans; Pf.*
(*Impf.* отвеча́ть) answer, reply,
respond (to smt.)

отвечáть SS -áют; *intrans; Impf.*
(*Pf.* отвéтить) answer, reply,
respond (to smt.)

отвлекáть SS -áют; *Impf.* (*Pf.*
отвлéчь) distract, divert

отвлекáться SS -áются; *Impf.* (*Pf.*
отвлéчься) be distracted;
digress

отвлéчься ЕЕ -влекýтся -влекýсь
-влечётся; -влёкся -влеклáсь
-влеклúсь; *past adv.* -влёкшись;
Pf. (*Impf.* отвлекáться) become
distracted; digress

отворáчиваться SS -аются; *Impf.*
(*Pf.* отвернýться) turn aside,
away

отдавáть ES -даю́т; -давáй! *pres.
adv.* -давáя; *pres. passive ptcpl.*
-давáемый; *Impf.* (*Pf.* отдáть)
give back; give away

отдáть ЕМ -дадýт -дáм -дáшь
-дáст -дадúм -дадúте; -дáй!
óтдал отдалá óтдали [*or* отдáл
отдалá отдáли]; *ppp* óтданный
М [*or* S]; *Pf.* (*Impf.* отдавáть)
give back; give away

отдéльный S (е) separate

отдохнýть ES -нýт; *intrans; Pf.*
(*Impf.* отдыхáть) rest, relax,
take a break

отдыхáть SS -áют; *intrans; Impf.*
(*Pf.* отдохнýть) rest, relax, take
a break

отказáть MS -кáжут; *intrans; Pf.*
(*Impf.* откáзывать) refuse, deny

отказáться MS -кáжутся; *intrans;
Pf.* (*Impf.* откáзываться) refuse,
decline

откáзывать SS -ают; *intrans; Impf.*
(*Pf.* отказáть) refuse, deny

откáзываться SS -аются; *Impf.*
(*Pf.* отказáться) refuse, decline

отличúть ES -чáт; *Pf.* (*Impf.*
отличáть) distinguish, tell the
difference

отлúчный S (е) excellent

отойтú ЕЕ отойдýт; отошёл ото-
шлá отошлú; *past adv.* отойдя́;

past active ptcpl. отошéдший;
intrans; Pf. (*Impf.* отходúть)
walk away; move away

отоплéние SS *n.in* heating system;
the process of heating

отпрáвить SS -вят; *Pf.* (*Impf.*
отправля́ть) send, direct

отправля́ть SS -я́ют; *Impf.* (*Pf.*
отпрáвить) send, direct

отпускáть SS -áют; *Impf.* (*Pf.*
отпустúть) let go, release;
designate, allocate

отпустúть MS отпýстят; *Pf.*
(*Impf.* отпускáть) let go, release;
designate, allocate

отрастúть ES -стя́т; отращý; *Pf.*
(*Impf.* отрáщивать) grow, let
grow (*usually about a beard, hair,
etc.*)

отрáщивать SS -ают; *Impf.* (*Pf.*
отрастúть) grow, let grow
(*usually about a beard, hair, etc.*)

оттянýть SS -тя́нут *Pf.* (*Impf.*
оття́гивать) pull away, stretch;
put off, delay

отчáсти *adv* partly, in part

отчáянный desperate; daring, bold

отчегó why, for what reason;
which is why, for this reason

отъéзд SS *m.in* departure

оттянýть SS -тя́нут Pf. (Impf.
оття́гивать) pull away, stretch;
put off, delay

официáльный S (е) official

охóта *predicate* (*colloquial*) want,
feel like *e.g.* Мне *Dat* былá охóта
поéсть I felt like a snack

óчень very; very much • óчень уж
(*colloquial*) very; very much

очереднóй E *no masc. short form;
other short forms avoided* next in
a series, another

ощущáться SS -áются; *Impf.* (*Pf.*
ощутúться) be felt

П

па́дать SS -ают; *intrans; Impf. (Pf.* упа́сть) fall

па́лец SS (е) *m.in* finger; toe
• показа́ть па́льцем point; перебира́ть па́льцами finger, twist between one's fingers

пальто́ *indeclinable n.in* coat, overcoat

пардо́н pardon, I beg your pardon
• проси́ть пардо́ну (*slang*) beg pardon

пассажи́р SS *m.an* passenger

пей *Imperative of* пить drink

пе́рвый *numeral inflected like adj* first • не пе́рвой све́жести (*when said of a person*) not so young, no spring chicken; (*when said of food*) stale, not fresh

перебира́ть SS -а́ют; *Impf. (Pf.* перебра́ть) sort out; go through, run through, *as in* перебира́ть па́льцами run one's fingers through or over smt.

перебира́я *pres. deverbal adv. of* перебира́ть

перебра́ть EM -беру́т; пере́бранный S [*or old-fashioned* M]; *Pf. (Impf.* перебира́ть) sort out

переверну́ть ES -ну́т; *ppp* переве́рнутый S; *Pf. (Impf.* переве́ртывать *or* перевора́чивать) turn over; invert; (*colloquial*) change (diapers, footcloth, *etc.*)

переве́ртывать SS -ают; *Impf. (Pf.* переверну́ть) turn over; invert; (*colloquial*) change (diapers, footcloth, *etc.*)

перевести́ EE -веду́т; -вёл -вела́ -вели́; *past adv.* -ведя́; *past active ptcpl.* -ве́дший; *Pf. (Impf.* переводи́ть) take across; translate

переводи́ть MS -во́дят; *pres. passive ptcpl.* -води́мый; *Impf.* (*Pf.* перевести́) take across; translate

перевора́чивать SS -ают; *Impf.* (*Pf.* переверну́ть) turn over; invert; (*colloquial*) change (diapers, footcloth, *etc.*)

перевяза́ть MS перевя́жут; *Pf.* (*Impf.* перевя́зывать) dress (a wound), bandage

перевя́зывать SS -ают; *Impf. (Pf.* перевяза́ть) dress (a wound), bandage

пе́ред *prep. +Inst* in front of; before

переде́лать SS -ают; *Pf. (Impf.* переде́лывать) alter, re-do

переде́лывать SS -ают; *Impf. (Pf.* переде́лать) alter, re-do

пере́дняя *used as f.in* front hall, vestibule

переды́шка SS (е) *f.in* respite, short rest

перекла́дывать SS -ают; *Impf. (Pf.* переложи́ть) rearrange, put in a different way or to a different place; rebuild; shift

переложи́ть MS -ло́жат; *Pf. (Impf.* перекла́дывать) rearrange, put in a different way or to a different place; rebuild; shift

перемени́ть MS -ме́нят; *ppp* переменённый E; *Pf. (Impf.* меня́ть, переменя́ть) alter, change; change (diapers, clothes)

перенести́ EE -несу́т; -нёс -несла́ -несли́; *past adv.* -неся́; *past active ptcpl.* -нёсший; *Pf. (Impf.* переноси́ть) take, carry over to a different place; experience (an illness, some danger, *etc.*); postpone; put off

переноси́ть MS -но́сят; *pres. passive ptcpl.* -носи́мый; *Impf.* (*Pf.* перенести́) take, carry over to a different place; experience (an illness, some danger, *etc.*); postpone; put off переоде́тый S disguised

переснима́ть[1] SS -а́ют; *Impf.* (*Pf.* пересня́ть) re-take photographs; make copies

переснима́ть[2] SS -а́ют; *Impf.* (*Pf.* пересня́ть) (*colloquial, not common*) change (a piece of clothing)

пересня́ть[1] ММ -сни́мут; *ppp* пересня́тый М; *Pf.* (*Impf.* переснима́ть) re-take a photograph; make copies

пересня́ть[2] ММ -сни́мут; *ppp* пересня́тый М; *Pf.* (*Impf.* переснима́ть) (*colloquial*) change (a piece of clothing)

перестава́ть ES -стаю́т; -става́й! *pres. adv.* -става́я; *intrans; Impf.* (*Pf.* переста́ть) cease, stop (doing smt.)

переста́ть SS -ста́нут; *intrans; Pf.* (*Impf.* перестава́ть) cease, stop (doing smt.)

персо́на SS *f.an* (*often sarcastic*) person • со́бственной персо́ной in person, in the flesh

персона́льный S (e) personal

пёс ЕЕ (ё) *m.an* dog • пёс (их) зна́ет (*slang*) you can never tell (with them); who knows?

пе́сенка SS (o) *f.in* (*dimin. of* пе́сня) song • его́ пе́сенка спе́та he's done for, he's had it, his goose is cooked

пе́сня SS (e) *f.in* song

пе́ть ES пою́т; *no pres. adv; ppp* пе́тый S; *Impf.* (*Pf.* с- *and* про- *and Pf-begin* за-) sing

пе́чень SS *f.in* liver

пе́чка SS (e) *f.in* stove; furnace

пе́чь ЕЕ пеку́т пеку́ печёт; пёк пекла́ пекли́; *no pres. adv; past adv.* пёкши; *Impf.* (*Pf.* ис-) bake

пиджа́к ЕЕ *m.in* sports coat; suit coat

писа́ть MS пи́шут; *pres. adv. avoided; Impf.* (*Pf.* на-) write; paint

пи́ть ЕМ пью́т; пе́й! [*with negative,* не пи́л, не пи́ло, не пи́ли *or old-fashioned* не́ пил, не́ пило, не́ пили (*but* не пила́)] *no pres. adv; ppp* пи́тый М; *Impf.* (*Pf.* вы- *and Pf-awhile* по-) drink • я хочу́ пи́ть I am thirsty; как пи́ть да́ть (*colloquial*) for sure

пиха́ть SS -а́ют; *Impf.* (*Pf-once* пихну́ть) push, shove

пихну́ть ES -ну́т; *ppp avoided; Pf-once* (*Impf.* пиха́ть) push, shove

пла́кать SS пла́чут; *intrans; Impf.* (*Pf-begin* за- *and Pf-awhile* по-) cry, weep; (*when used in the past tense with inanimate subject, colloquial idiom*) be gone, be lost *e.g.* пла́кали мои́ де́нежки my money went down the drain • пла́кать в три ручья́ cry one's heart out

плати́ть MS пла́тят; *Impf.* (*Pf.* за- *and* у-) pay

плато́к ЕЕ (o) *m.in* kerchief • носово́й плато́к handkerchief

пла́тье SS *GPlur.* -ев *n.in* dress

пла́ча *pres. deverbal adv. of* пла́кать cry

плева́ть[1] ES плюю́т; *intrans; Impf.* (*Pf-once* плю́нуть) spit

плева́ть[2] ES плюю́т; *intrans; Impf.* (*Pf.* на-) (*colloquial*) not to give a damn *e.g.* Мне *Dat* плева́ть на шко́лу (Dat.)

племя́нник SS *m.an* nephew

племя́нница SS *f.an* niece

плита́ ES *f.in* cooking stove

пло́хо *predicate* be/feel bad, ill *e.g.* Мне *Dat* ста́ло пло́хо I felt ill

плохо́й М [*sh.Plur.* плохи́] *compar.* ху́же poor, bad, inferior

плю́нуть SS -нут; *intrans; Pf-once* (*cf. Impf.* плева́ть) spit • плю́нуть на всё э́то not bother with it all, not give a damn; э́то плю́нуть и растере́ть (*colloquial*) that don't mean a thing

по-[1] *prefix to* -ому/-ему *and* -ски *adverbs* in the manner of, *as in* по-ста́рому in the old way; по-маркси́стски in a Marxist fashion, like a Marxist; по-ру́сски in Russian; in the Russian way

по-[2] *prefix to Dative forms of some pronouns* in the opinion of, *as in* по-мо́ему in my opinion

по[3] *prefix to comparative adjective forms* a little, a bit, somewhat, *as in* побо́льше a little bigger, a little more

по[4] *prep.* +*Acc* to, up to • по́ уши up to one's ears, a lot, more than one needs

по[5] *prep.* +*Prep* after, *as in* по прие́зде on arrival

по[6] *prep.* +*Dat* along; round, about; on, in

по[7] *prep.* +*Dat* by, according to, *as in* по слова́м Са́ши according to Sasha

по[8] *prep.* +*Dat* on account of, because of, *as in* по боле́зни because of illness

по[9] *prep.* +*Dat. Plur.* in time phrases, as in по сре́дам on Wednesdays

по[10] *prep.* +*Dat with one item, but* +*Acc with more than one each, as in* Он да́л всем студе́нтам по я́блоку *Dat* He gave each student an apple

побежа́ть ES -бегу́т -бегу́ -бежи́шь -бежи́т -бежи́м -бежи́те; *intrans; Pf. and Pf-begin* (*Impf.* бежа́ть) run

побесе́довать SS -се́дуют; *intrans; Pf.* (*Impf.* бесе́довать) have a conversation or discussion

побива́ть SS -а́ют; *Impf.* (*Pf.* поби́ть) beat, defeat (*an enemy, etc.*); surpass (*a record*)

поби́ть ES -бью́т; -бе́й! *ppp* поби́тый S; *Pf.* (*Impf.* би́ть *and*

побива́ть) beat, defeat (*an enemy. etc.*); surpass (*a record*)

побледне́ть SS -е́ют; *intrans; Pf.* (*Impf.* бледне́ть) grow pale

поведе́ние SS *n.in* behavior

поверну́ться ES -ну́тся; *Pf.* (*Impf.* повора́чиваться) turn, turn around; turn (to), face

повертеть MS -ве́ртят; *Pf. and Pf-awhile* (*Impf.* вертеть) turn this way and that; twirl • поверте́ть в руке́ finger, turn this way and that way between one's fingers

повора́чиваться SS -аются; *Impf.* (*Pf.* поверну́ться) turn, turn around; turn (to), face

повтори́ть ES -ря́т; *Pf.* (*Impf.* повторя́ть) repeat; review

повторя́ть SS -я́ют; *Impf.* (*Pf.* повтори́ть) repeat; review

поговори́ть ES -ря́т; *intrans; Pf. and Pf-awhile* (*Impf.* говори́ть) talk for a while; have a talk

погуля́ти *obsolete, folklore infinitive form of* погуля́ть take a stroll, go for a walk

погуля́ть SS -я́ют; *intrans; Pf. and Pf-awhile* (*Impf.* гуля́ть) take a stroll, go for a walk; stroll for a while

под *prep.* +*Inst* under; near • бы́ть/находи́ться под му́хой be under the influence (of alcohol)

подава́ть ES -даю́т; -дава́й! *pres. adv.* -дава́я; *pres. passive ptcpl.* -дава́емый; *Impf.* (*Pf.* пода́ть) serve (*food, etc.*); serve (*in ball games*); hand over

подави́ться MS -да́вятся; *Pf.* (*Impf.* дави́ться) choke (on smt.)

пода́ть EM -даду́т -да́м -да́шь -да́ст -дади́м -дади́те; -да́й! по́дал подала́ по́дали [*or* пода́л подала́ по́дали]; *ppp* по́данный M [*or* S]; *Pf.* (*Impf.* подава́ть) serve (*food, etc.*); serve (*in ball games*); hand over

подбега́ть SS -а́ют *intrans; Impf.*
(*Pf.* подбежа́ть) run up (to
smt./smb.)

подбежа́ть ES -бегу́т -бегу́
-бежи́шь -бежи́т -бежи́м
-бежи́те; *intrans; Pf.* (*Impf.*
подбега́ть) run up (to)

подверга́ть SS -а́ют; *Impf.* (*Pf.*
подве́ргнуть) subject (to);
expose (to)

подве́ргнуть SS -нут; подве́рг [*or*
подве́ргнул] подве́ргла подве́р-
гли; [*past adv.* подве́ргнув[ши]
or подве́ргши]; *Pf.* (*Impf.* под-
верга́ть) subject (to smt.);
expose (to smt.)

подгова́ривать SS -ают; *Impf.* (*Pf.*
подговори́ть) incite (to); put up
to

подговори́ть ES -ря́т; *Pf.* (*Impf.*
подгова́ривать) incite, instigate

поддержа́ть MS -де́ржат; *Pf.*
(*Impf.* подде́рживать) support

подде́рживать SS -ают; *Impf.* (*Pf.*
поддержа́ть) support

подержа́ть MS -де́ржат; *Pf-awhile*
(*Impf.* держа́ть) hold for a while

подержа́ться MS -де́ржатся;
Pf-awhile (*Impf.* держа́ться)
hold for a while *e.g.* за ру́чку
подержа́лся (he) held (her) hand
for a moment

подле́ц EE *m.an* scoundrel

поднажа́ть ES -нажму́т; *intrans;
Pf.* (*Impf.* поднажима́ть)
(*colloquial*) speed up

подно́с SS *m.in* tray

поднима́ть SS -а́ют; *Impf.* (*Pf.*
подня́ть) lift; pick up

поднима́ться SS -а́ются; *Impf.* (*Pf.*
подня́ться) go up, rise

подня́ть MM -ни́мут; по́днял
подняла́ по́дняли; *ppp* по́днятый
M; *Pf.* (*Impf.* поднима́ть) lift;
pick up

подня́ться ME [*or* MM] -ни́мутся;
[-ня́лся *or old-fashioned* -нялся́];

Pf. (*Impf.* поднима́ться) go up,
rise

подойти́ EE подойду́т; подошёл
подошла́ подошли́; *past adv.*
подойдя́; *past active ptcpl.*
подоше́дший; *intrans; Pf.* (*Impf.*
подходи́ть) approach, come/go
up (to) (*walking*)

подоспева́ть SS -а́ют; *intrans;
Impf.* (*Pf.* подоспе́ть) come,
show up just in time

подоспе́ть SS -е́ют; *intrans; Pf.*
(*Impf.* подоспева́ть) come, show
up just in time

подо́хнуть SS -нут; -до́х, -до́хла,
-до́хли; *past adv.* -до́хши;
intrans; Pf. (*Impf.* подыха́ть)
(*neutral when said about animals,
rude when applied to a person*)
die

подра́ться EE [*or* EM] -деру́тся;
Pf. and Pf-awhile (*Impf.*
дра́ться) fight, have a (fist) fight

поду́мать SS -ают; *intrans; Pf. and
Pf-awhile* (*Impf.* ду́мать) think
• Поду́маешь! Big deal!

подходи́ть MS -хо́дят; *intrans;
Impf.* (*Pf.* подойти́) approach,
come/go up (to) (*walking*)

подчини́ться ES -ня́тся; *Pf.* (*Impf.*
подчиня́ться) submit, give in;
obey

подчиня́ться SS -ются; *Impf.* (*Pf.*
подчини́ться) submit, give in;
obey

подшта́нники S *Plur. only;*
#-*declension m.in* underpants

подшути́ть MS -шу́тят; *intrans;
Pf.* (*Impf.* подшу́чивать) mock;
play a trick (on)

подшу́чивать SS -ают; *intrans;
Impf.* (*Pf.* подшути́ть) mock;
play a trick (on)

подъе́зд SS *m.in* entrance;
doorway

подыха́ть SS -а́ют; *intrans; Impf.*
(*Pf.* подо́хнуть) (*neutral when*

said about animals, rude when applied to a person) die

поезд SE NPlur. -á m.in train

поехать SS -éдут; поезжай! [or colloquial езжай!] (with negative не езди!); intrans; Pf. and Pf-begin (Impf. éхать) go; set off (driving, riding)

пожалуй maybe, perhaps, very likely • пожалуй что (colloquial) probably, I guess

пожалуйста please; you're welcome; here you are; OK, all right

позвать EM -зовут; [ppp позванный S or old-fashioned M]; Pf. (Impf. звать) call, summon; invite

позволить SS -лят; Pf. (Impf. позволять) allow, permit

позволять SS -яют; Impf. (Pf. позволить) allow, permit

позвонить S -нят; intrans; Pf. (Impf. звонить) ring; ring a bell; phone

поздравить SS -вят; Pf. (Impf. поздравлять) congratulate

поздравлять SS -яют; Impf. (Pf. поздравить) congratulate

позовите Imperative of позвать

поймать SS -áют; Pf. (Impf. ловить) catch, seize

пойти EE пойдут; пошёл пошла пошли; past adv. пойдя; past active ptcpl. пошедший; intrans; Pf. and Pf-begin (Impf. идти) go; start going, set out; join, enroll (in); suit, become • Пошёл дождь It started raining

пока[1] meanwhile; for the time being; while; until • пока не until; а пока и так ладно but for now it's OK as it is

пока[2] Bye-bye! So long!

показать MS -кажут; Pf. (Impf. показывать) show

показывать SS -ают; Impf. (Pf. показать) show

покатиться MS покатятся; покачусь Pf. (Impf. катиться) roll, start rolling; (slang) hit the road • покатиться со смеху (colloquial) roar with laughter

покачать SS -áют; Pf-awhile (Impf. качать) shake, rock, swing (smt.), as in покачать головой shake one's head

покачиваться SS -аются; Impf. (Pf-once покачнуться) rock back and forth, sway

покачнуться ES -утся; Pf-once (Impf. покачиваться) sway, lose one's balance for a moment

покой[1] SS Part. -ю; m.in peace, peace and quiet

покой[2] SS m.in (obsolete) room; apartment • приёмный покой emergency room

покушать SS -ают; Pf. (Impf. кушать) (colloquial) eat

покушение SS n.in assassination attempt

полагаться SS -аются; Impf. (Pf. положиться) rely (on), trust

полгода SE (used mostly in NSg and ASg) m.in half a year, e.g. прошло полгода six months went by, первые полгода the first six months

полегче easier; a little easier

полезный S (e) useful

полный E [or old fashioned M] (o) sh.masc. полон full, complete

положение SS n.in situation, position; status

положить MS положат; Pf. (Impf. класть) put, lay

поломаться[1] SS -áются; Pf-awhile (Impf. ломаться) be stubborn for a while; clown for a while

поломаться[2] SS -áются; Pf. (Impf. ломаться) break down, begin to malfunction

полтора numeral; Nom. and Acc. fem. полторы one and a half

П

полупальто́ *indeclinable n.in* short coat *or* long jacket

полчаса́ SE (*used mostly in NSg and ASg*) *m.in* half an hour, *e.g.* прошло́ полчаса́ half an hour went by, пе́рвые полчаса́ the first half-hour

по́льт (*substandard, colloquial GPlur. of* пальто́ coat, *normally indeclinable*)

полюбова́ться SS -бу́ются; *Pf-awhile* (*Impf.* любова́ться) admire, gaze in admiration; feast one's eyes (on)

полюбопы́тствовать SS -уют *Pf.* (*Impf.* любопы́тствовать) ask, enquire

помере́ть ЕМ помру́т; по́мер, померла́, по́мерли; *past adv.* помере́в [*or* по́мерши], *past active ptcpl.* по́мерший; *intrans; Pf.* (*Impf.* помира́ть) die
• помере́ть со́ смеху laugh very hard, almost die (from) laughing

помеша́ть SS -а́ют; *intrans; Pf.* (*Impf.* меша́ть) prevent, stop from (doing smt.)

поми́ловать SS поми́луют; *Pf.* (*Impf.* ми́ловать) forgive; pardon
• Го́споди, поми́луй! Lord have mercy (on us)!

помира́ть SS -а́ют; *intrans; Impf.* (*Pf.* помере́ть) die • помира́ть со́ смеху laugh very hard, almost die (from) laughing

по́мнить SS -нят; *Impf.* (*no Pf.*) remember, not forget, retain in memory

помога́ть SS -а́ют; *intrans; Impf.* (*Pf.* помо́чь) help

помо́ется *non-past form of* помы́ться

помо́чь МЕ -мо́гут -могу́ -мо́жет; -мо́г -могла́ -могли́; *past adv.* -мо́гши; *intrans; Pf.* (*Impf.* помога́ть) help

по́мощь SS *f.in* assistance, help
• ско́рая по́мощь ambulance

помы́ться SS -мо́ются; *Pf.* (*Impf.* мы́ться) wash up; wash (*said of hands, face, or body*)

помя́гче (*compar. of* мя́гкий) a bit more mellow; softer

понапра́сну (*colloquial*) in vain; for no reason; for nothing

понести́[1] ЕЕ -несу́т; -нёс -несла́ -несли́; *past adv.* -неся́; *past active ptcpl.* -нёсший; *Pf-begin* (*Impf.* нести́) carry off, start carrying

понести́[2] ЕЕ понесёт; понесло́; *Impersonal; Pf-begin* (*Impf.* нести́) become carried away *e.g.* Расска́зчика понесло́ The storyteller got completely carried away (and lost his common sense)

понима́ть SS -а́ют; *Impf.* (*Pf.* поня́ть) understand; realize
• мно́го вы́ понима́ете (*sarcastic*) hell of a lot *you* understand; са́ми понима́ете you know

понима́ющий (*adj. and pres. act. ptcpl. of* понима́ть) knowing, knowledgeable, understanding, perceptive

понра́виться SS -вятся; *Pf.* (*Impf.* нра́виться) please, like, *as in* Ему́ *Dat* понра́вилась моя́ сестра́ He liked my sister

поню́хать SS -ают; *Pf.* (*Impf.* ню́хать) smell, sniff, take a whiff (of smt.)

поня́ть ЕМ пойму́т; по́нял поняла́ по́няли; *ppp* по́нятый М; *Pf.* (*Impf.* понима́ть) understand; realize

попада́ть SS -а́ют; *intrans; Impf.* (*Pf.* попа́сть) hit (*when throwing, shooting, etc.*) • попада́ть впроса́к end up in an embarrassing situation

попада́ться SS -а́ются; *Impf.* (*Pf.* попа́сться) get, end up with, *as in* Мне́ попада́лись интере́сные лю́ди I used to come across

interesting people; be found out,
be caught
попа́сть ES -паду́т; -па́л -па́ла
-па́ли; *past adv.* -па́в[ши];
intrans; Pf. (Impf. попада́ть) hit
(*when throwing, shooting, etc.*)
• попа́сть впроса́к end up in an
embarrassing situation
попа́сться ES -паду́тся; -па́лся
-па́лась -па́лись; *past adv.*
-па́вшись; *Pf. (Impf.*
попада́ться) get, end up with, *as
in* Мне́ попа́лся хоро́ший вра́ч I
was lucky to get a good doctor;
be found out, be caught
попере́ть[1] ES попру́т; попёр
попёрла попёрли; *past adv.*
попере́в [*or* попёрши]; *intrans;
Pf. (Impf.* пере́ть) (*rude*) push
through, barge • Во́т попёрло-
то! (*slang*) it's coming like a
tidal wave
попере́ть[2] ES попру́т; попёр
попёрла попёрли; *past adv.*
попере́в [*or* попёрши]; *ppp*
попёртый S; *Pf. (Impf.* пере́ть)
(*slang*) drive away, throw out;
(*slang*) fire, dismiss
попла́кать SS -пла́чут; *intrans;
Pf-awhile (Impf.* пла́кать) cry a
little, shed a few tears
пополоска́ться MS -ло́щутся [*or*
SS -а́ются]; *Pf-awhile (Impf.*
полоска́ться) splash around,
throw some water on oneself
попра́вить SS -вят; *Pf. (Impf.*
поправля́ть) correct, set right
попра́виться SS -вятся; *Pf. (Impf.*
поправля́ться) correct oneself;
get better (*said of a sick person*);
gain weight
поправля́ть SS -я́ют; *Impf. (Pf.*
попра́вить) correct, set right
поправля́ться SS -я́ются; *Impf.*
(*Pf.* попра́виться) correct
oneself; get better (*said of a sick
person*); gain weight
по-пре́жнему as before

попро́бовать SS -буют; *Pf. (Impf.*
про́бовать) try, attempt
попроси́ть MS -про́сят; *Pf. (Impf.*
проси́ть) ask (*smb. for smt.*),
request (*smt. from smb.*)
поража́ться SS -а́ются; *Impf. (Pf.*
порази́ться) be amazed,
surprised
порази́ться ES -зя́тся; *Pf. (Impf.*
поража́ться) be amazed,
surprised
по́ртер SS *Part.* -у *m.in* porter (*a
dark beer*)
по́ртерная *adj. used as f.in noun*
(*old-fashioned*) bar, tavern
портя́нка SS (о) *f.in* footcloth, a
cheap substitute for socks
поруга́ть SS -а́ют; *Pf. (Impf.*
руга́ть) scold
поруга́ться[1] SS -а́ются; *Pf-awhile*
(*Impf.* руга́ться) spend some
time scolding smb.; spend some
time swearing, cursing
поруга́ться[2] SS -а́ются; *Pf. and
Pf-awhile (Impf.* руга́ться)
quarrel, have a fight; spend
some time quarrelling
по́рция SS *f.in* portion, helping (*of
food*)
поря́док SS (о) *Part.* -у *m.in* order
• всё в поря́дке everything's OK;
в уда́рном поря́дке on an
emergency basis; on the double
поря́дочный S (е) decent, respectable; decent, sizable
посади́ть MS -са́дят; *Pf. (Impf.*
сажа́ть) seat, provide seating;
land (an airplane, a rocket, *etc.*);
plant; imprison
поса́пывать SS -ают; *intrans; Impf.
(no Pf.)* wheeze, sniff
• поса́пывать но́сом sniffle
посерьёзнее a bit more serious
посиде́ть ES -сидя́т; *intrans;
Pf-awhile (Impf.* сиде́ть) sit for a
while
посла́ть ES пошлю́т; *Pf. (Impf.*
посыла́ть) send

после¹ *prep* + *Gen* after

после² (*when not followed by Genitive*) (*colloquial*) afterwards, later on

последний last • как последняя курица (*colloquial, not common*) like some wretched chicken; как последняя собака like some wretched dog

послушаться SS -аются; *Pf.* (*Impf.* слушаться) obey

посмотреть MS -смотрят; *Pf.* (*Impf.* смотреть) look, take a look; give a look

посоветоваться SS -туются; *Pf.* (*Impf.* советоваться) consult, ask advice

поставить SS -вят; *Pf.* (*Impf.* ставить) stand, put, place

пострадавший *past active ptcpl. of* пострадать suffer *used as a noun* victim

пострадать SS -ают *Pf.* (*Impf.* страдать) suffer

поступок SS (о) *m.in* act, action

посчитать SS -ают *Pf.* (*Impf.* считать) count; (*colloquial*) consider

посчитаться SS -аются *Pf.* (*Impf.* считаться) (*colloquial*) consider, take into consideration; show respect

посылать SS -ают; *Impf.* (*Pf.* послать) send

потерять SS -яют; *Pf.* (*Impf.* терять) lose; misplace

потечь ЕЕ -текут -теку -течёт; -тёк -текла -текли; *past adv.* -тёкши; *intrans; Pf-begin* (*Impf.* течь) begin to flow; begin to leak

потом afterwards, later on; then, after that

потому that's why • потому что because

потоптаться MS -топчутся; -топчусь *Pf-awhile* (*Impf.* топтаться) shift from foot to foot; walk about • потоптаться на месте shift from foot to foot

потребитель SS m.an consumer; client, customer

потянуть MS потянут; *Pf.* and *Pf-begin* (*Impf.* тянуть) pull, yank

по-французски in French; in the French way

похлопотать MS -хлопочут; -хлопочу *no ppp Pf.* (*Impf.* хлопотать) make an effort; work fussily, fuss around; pull strings, use influence

поцеловать SS -луют; *Pf.* (*Impf.* целовать) kiss

поцеловаться SS -луются; *Pf.* (*Impf.* целоваться) kiss

поцелуй *SS m.in* kiss • послать воздушный поцелуй blow a kiss

почва SS *f.in* soil; ground • на этой почве for this reason, on these grounds

починить MS -чинят; *Pf.* (*Impf.* чинить) fix, repair

починка SS (о) *f.in* repairs; fixing, mending

почка SS (е) *f.in* bud; kidney

почти almost, nearly

пошёл *past tense form of* пойти

правда¹ SS *f.in* truth

правда² *parenthetical word* it is true that

право SE *n.in* right; law, jurisprudence

праздник SS *m.in* holiday; celebration

предбанник SS *m.in* anteroom in a bathhouse for changing one's clothes

предвидеться SS -видятся; *Imperative avoided; Pf.* (no *Impf.*) be foreseen, be expected

предлагать SS -ают; *Impf.* (*Pf.* предложить) offer; suggest

предложить MS -ложат; *Pf.* (*Impf.* предлагать) offer; suggest

предмет SS *m.in* subject; object

предполага́ть SS -а́ют; *Impf.* (*Pf.* предположи́ть) suppose, think

предположи́ть MS -поло́жат; *Pf.* (*Impf.* предполага́ть) suppose, think

предприя́тие SS *n.in* scheme, venture; enterprise

председа́тель SS *m.an* chairman

пре́жний earlier; old; former • пре́жние времена́ the "olden days"

прекра́сный S *sh.masc.* прекра́сен excellent; beautiful

прекрати́ть ES -тя́т прекращу́; *ppp* прекращённый E; *Pf.* (*Impf.* прекраща́ть) stop, halt; terminate

преувели́чивать SS -ают; *Impf.* (*Pf.* преувели́чить) exaggerate

преувели́чить SS -чат; *Pf.* (*Impf.* преувели́чивать) exaggerate

при *prep.* +*Prep.* at; with; by; in the presence of; during (the reign of); affiliated with • при исполне́нии служе́бных обя́занностей while on duty; при ва́шей мо́рде with a mug like yours; при све́те with the light on

привыка́ть SS -а́ют; *intrans; Impf.* (*Pf.* привы́кнуть) get used (to)

привы́кнуть SS -нут; -вы́к -вы́кла -вы́кли; *past adv.* -вы́кши; *intrans; Pf.* (*Impf.* привыка́ть) get used (to)

привы́кший (*past active ptcpl. of* привы́кнуть) accustomed; conditioned

привы́чка SS (e) *f.in* habit (of/for)

привяза́ть MS -вя́жут; *Pf.* (*Impf.* привя́зывать) fasten, attach, tie

привя́зывать SS -ают; *Impf.* (*Pf.* привяза́ть) fasten, attach, tie

придержа́ть MS -де́ржат; *Pf.* (*Impf.* приде́рживать) hold, hold back

приде́рживать SS -ают; *Impf.* (*Pf.* придержа́ть) hold, hold back

придти́ *old-fashioned spelling variant of* прийти́

приём SS *m.in* reception, social function; office time for receiving visitors • на приёме у врача́ while waiting for the doctor; while seeing the doctor

приёмная *used as f.in noun* waiting room, room for visitors

приёмный (*see also* приёмная) • приёмный поко́й emergency room; приёмная ко́мната waiting room, room for visitors

признава́ть ES -знаю́т; -знава́й! pres. adv. -знава́я; *Impf.* (*Pf.* призна́ть) admit, accept; recognize as an authority; (*colloquial*) recognize a person by sight

признава́ться ES -знаю́тся; -знава́йся! pres. adv. -знава́ясь; *Impf.* (*Pf.* призна́ться) admit, confess (smt.)

призна́ть SS -а́ют; *Pf.* (*Impf.* признава́ть) admit, accept; recognize as an authority; (*colloquial*) recognize a person by sight

призна́ться SS -а́ются; *Pf.* (*Impf.* признава́ться) admit, confess (smt. to smb.)

прийти́ EE приду́т; *Imperative both* приди́! *and, more politely,* приходи́! пришёл пришла́ пришли́; *past adv.* придя́; *past active ptcpl.* прише́дший; *Pf.* (*Impf.* приходи́ть) arrive, come

прийти́сь EE придётся; пришло́сь; *Impersonal; Pf.* (*Impf.* при-ходи́ться) have to, *as in* Мне *Dat* придётся рабо́тать I will have to work • Ему́ *Dat* тяжело́ придётся He will have a hard time

приказа́ть MS -ка́жут; *Pf.* (*Impf.* прика́зывать) order, command

прика́зывать SS -ают; *Impf.* (*Pf.* приказа́ть) order, command

П

приключа́ться SS -а́ются; *Impf.*
(*Pf.* приключи́ться) happen,
occur

приключи́ться ES -ча́тся; *Pf.*
(*Impf.* приключа́ться) happen,
occur

прили́чие SS *n.in* propriety,
decency; decorum

приме́р SS *m.in* example • к
приме́ру for example

приме́та SS *f.in* mark; sign • бра́ть
на приме́ту take note of; име́ть
на приме́те have an eye on; по
приме́там by description, by
distinguishing characteristics

принести́ EE -несу́т; -нёс -несла́
-несли́; *past adv.* -неся́; *past
active ptcpl.* -нёсший; *Pf.* (*Impf.*
приноси́ть) bring (to) (*by
carrying*)

принима́ть SS -а́ют; *Impf.* (*Pf.*
приня́ть) accept; take, receive
• принима́ть душ take a shower;
де́ло принима́ет серьёзный
оборо́т it looks like trouble

приноси́ть MS -но́сят; *pres.
passive ptcpl.* -носи́мый; *Impf.*
(*Pf.* принести́) bring (to) (*by
carrying*)

приня́ть MM при́мут; при́нял
приняла́ при́няли; *ppp* при́нятый
M; *Pf.* (*Impf.* принима́ть) accept;
take, receive • приня́ть душ take
a shower; де́ло при́няло
серьёзный оборо́т it began to
look like trouble

приса́живаться SS -аются; *Impf.*
(*Pf.* присе́сть) sit for a short
while; perch

присе́сть SS -ся́дут; -сёл, -се́ла,
-се́ли; *past adv.* -сев(ши);
intrans; Pf. (*Impf.* приса́живать-
ся) sit for a short while; perch

присмотре́ть[1] MS -смо́трят; *ppp*
присмо́тренный S; *Pf.* (*Impf.*
присма́тривать) (*colloquial*) find,
choose, lay an eye on

присмотре́ть[2] MS -смо́трят;
intrans; Pf. (*Impf.* присма́три-
вать) look after, keep an eye on

приста́вить SS -вят; *Pf.* (*Impf.*
приставля́ть) put, place; assign,
give an assignment

приставля́ть SS -я́ют; *Impf.* (*Pf.*
приста́вить) put to, place;
assign, give an assignment

приходи́ть MS -хо́дят; *intrans;
Impf.* (*Pf.* прийти́) arrive, come

приходи́ться MS -хо́дится;
Impersonal; Impf. (*Pf.* прийти́сь)
have to, *as in* Мне прихо́дится
рабо́тать I have to work

прихо́жая *used as f.in noun*
vestibule, hall

прия́тель SS *m.an* friend,
acquaintance

про *prep.* +*Acc* about • про себя́
(think, say) to oneself

пробива́ть SS -а́ют; *Impf.* (*Pf.*
проби́ть) strike through, punch a
hole; cancel (a ticket, a coupon,
etc.)

проби́тый *ppp of* проби́ть punctured

проби́ть ES пробью́т; пробе́й! *ppp*
проби́тый S; *Pf.* (*Impf.* проби-
ва́ть) strike through, punch a
hole; cancel (a ticket, a coupon,
etc.)

про́вод SE *NPlur.* -а́ *m.in* (metal)
wire

прогла́тывать SS -ают; *Impf.* (*Pf.*
проглоти́ть) swallow

проглоти́ть MS -гло́тят; *Pf.* (*Impf.*
прогла́тывать) swallow

проду́кты S *Plur. only; m.in* food,
groceries

прое́зд SS *m.in* lane, small street;
driveway; ride (*usually on public
transportation*)

прожива́ть SS -а́ют; *intrans; Impf.*
(*no Pf.*) live, reside

произвести́ EE -веду́т; -вёл -вела́
-вели́; *past adv.* -ведя́; *past
active ptcpl.* -ве́дший; *Pf.* (*Impf.*

производи́ть) produce, make;
carry out
производи́ть MS -во́дят; *pres.
passive ptcpl.* -води́мый; *Impf.*
(*Pf.* произвести́) produce, make;
carry out
произнести́ EE -несу́т; -нёс
-несла́ -несли́; *past adv.* -неся́
past active ptcpl. -нёсший; *Pf.*
(*Impf.* произноси́ть) pronounce
произноси́ть MS -но́сят; *pres.
passive ptcpl.* -носи́мый; *Impf.*
(*Pf.* произнести́) pronounce
произойти́ EE произойду́т;
произошёл произошла́
произошли́; *past adv.* произойдя́;
past active ptcpl. происше́дший
[*or* произоше́дший]; *intrans; Pf.*
(*Impf.* происходи́ть) happen;
come, be descended from
происходи́ть MS -хо́дят; *intrans;
Impf.* (*Pf.* произойти́) happen;
come, be descended from • де́ло
происходи́ло... it happened...
происше́ствие SS *n.in* event;
incident; happening; occurrence;
accident
пройти́ EE пройду́т; прошёл
прошла́ прошли́; *past adv.*
пройдя́; *past active ptcpl.*
проше́дший; *Pf.* (*Impf.* прохо-
ди́ть) pass, be over (*when said of
an illness or a period of time*);
walk by, walk through
промы́шленность SS *f.in* industry
прона́шиваться SS -ются; *Impf.*
(*Pf.* проноси́ться) (*said of
clothing*) wear out, wear thin
пронести́сь EE -несу́тся; -нёсся
-несла́сь -несли́сь; *past adv.*
-неся́сь; *past active ptcpl.*
-нёсшийся; *Pf.* (*Impf.*
проноси́ться) run, rush past;
sweep over; (*said of a rumor*)
spread; (*said of time*) fly by
проноси́ться[1] MS -но́сятся; *Impf.*
(*Pf.* пронести́сь) run, rush past;
sweep over; (*said of a rumor*)

spread rush by; (*said of time*) fly
by
проноси́ться[2] MS -но́сятся; *Pf.*
(*Impf.* прона́шиваться) wear out,
wear thin
пропада́ть SS -а́ют; *intrans; Impf.*
(*Pf.* пропа́сть) be missing, lost;
be done for; vanish; be wasted,
perish; disappear, *as in* Где́ ты
пропада́л? Where did you
disappear to? Where have you
been hiding? • он пропада́л he
was on his way to ruin
пропа́жа[1] SS *f.in* disappearance;
loss
пропа́жа[2] SS *f.in* (*colloquial*) lost
object; missing thing
пропа́сть ES -паду́т; -па́л -па́ла
-па́ли; *past adv.* -па́в[ши];
intrans; Pf. (*Impf.* пропада́ть)
perish; disappear
пропуска́ть SS -а́ют; *Impf.* (*Pf.*
пропусти́ть) miss; skip; omit
пропусти́ть MS -пу́стят; *Pf.*
(*Impf.* пропуска́ть) miss; skip,
omit
проси́ть MS про́сят; *pres. passive
ptcpl.* проси́мый; *Impf.* (*Pf.* по-)
ask (smb. for smt.), request
(smt. of smb.)
про́сто[1] simply; merely; easily
про́сто[2] just, only, simply
про́сто[3] *predicate* it is simple,
easy
протека́ть[1] SS -а́ют; *intrans; Impf.*
(*no Pf.*) flow, run (*said of current,
water, etc.*)
протека́ть[2] SS -а́ют; *intrans; Impf.*
(*Pf.* проте́чь) leak, have a leak
(*said of a vessel, a container, etc.*)
проте́чь EE -теку́т -теку́ -течёт;
-тёк -текла́ -текли́; *past adv.*
-тёкши; *intrans; Pf.* (*Impf.*
протека́ть) leak, spring a leak
(*said of a vessel, a container, etc.*)
про́тив *prep.* +*Gen* opposite;
against; for, *as in* лека́рство
про́тив гри́ппа flu medicine

проти́вно *adv. and predicate* disgustingly, in a disgusting way; disgusting, revolting *e.g.* мне проти́вно...+*Inf.* I find it disgusting/revolting to...

проходи́ть MS -хо́дят; *Impf.* (*Pf.* пройти́) pass, be over (*when said of an illness or a period of time*); walk by, walk through

проче́сть EE -чту́т; -чёл -чла́ -чли́; *past adv.* -чтя́; *no past active ptcpl; Pf.* (*no Impf; use Impf. partners of the synonym* прочита́ть, *i.e.* прочи́тывать *and* чита́ть) read • проче́сть ле́кцию give a lecture

про́чий other; (*when used as Plural animate noun*) others, other people • ме́жду про́чим incidentally

про́шлый past, last • в про́шлую суббо́ту last Saturday

прошу́ *non-past form of* проси́ть

пря́мо straight, directly; frankly; (*colloquial*) real, really, quite • пря́мо ска́жем let's tell the truth; пря́мо сказа́ть truth to tell, speaking without beating around the bush

пти́ца SS *f.an* bird

пти́чка[1] SS (e) *f.an, dimin. of* пти́ца

пти́чка[2] SS (e) *f.in* check, check mark, tick

пу́блика SS *f.in* public; audience

пу́говица SS *f.in* button

пузы́рь EE *m.in* bubble; (*colloquial*) blister; bag; bladder • жёлчный пузы́рь gall bladder; мочево́й пузы́рь urinary bladder

пу́ля SS *f.in* bullet

пуска́ть SS -а́ют; *Impf.* (*Pf.* пусти́ть) let, allow; let in, admit; blow (smoke, bubbles, *etc.*) • пуска́ть пыль в глаза́ put on a false front, impress falsely

пусти́ть MS -тят; *Pf.* (*Impf.* пуска́ть) let, allow; let in, admit; blow (smoke, bubbles, *etc.*) • пусти́ть пыль в глаза́ put on a false front, impress falsely

пусть[1] [*or* пуска́й] let (him, her, *etc.* do smt.); all right, very well

пусть[2] [*or* пуска́й] though, even if

пуща́й *dialectal or substandard variant of* пуска́й *and* пусть

пшённая боле́знь [*or* боля́чка] (*not common*) sty

пыль S *Loc.* (в) -и́ *f.in* dust • пусти́ть пыль в глаза́ put on a false front, impress falsely

пью *non-past form of* пить drink

пью́щий *pres. active ptcpl. of* пить drink *used as animate noun* drinker • непью́щий non-drinking (person), teetotaler

пья́ный M [*sh.Plur.* пья́ны́] *also used as m.an noun* drunk • в пья́ном ви́де when drunk, under the influence (of alcohol)

пя́тый *numeral inflected like adj.* fifth

пять five

Р

рабо́та SS *f.in* work; job, position

рабо́тать SS -ают; *intrans; Impf.* (*Pf-awhile* по-) work

рабо́чий working, related to work, *as in* рабо́чая оде́жда work clothes; (*as noun*) worker, workingman

равня́ться SS -я́ются; *Impf.* (*no Pf.*) equal, be equal (to)

рад S *no long forms; no compar.* glad

ра́ди *preposition and postposition* +*Gen* for the sake of

ра́доваться SS -дуются; *Impf.* (*Pf.* об- *and* по-) be happy, rejoice • жить да ра́доваться enjoy life, live life to its fullest

ра́достно joyfully, gladly

ра́дость SS *f.in* joy

ра́з[1] SE *GPlur.* -# *m.in* time,
occasion • в пе́рвый ра́з the first
time; в друго́й ра́з some other
time; ра́з в неде́лю *or* оди́н ра́з в
неде́лю once a week; ещё ра́з
once again, once more, one more
time

ра́з[2] once, one day • друго́й ра́з
once in a while

ра́з[3] *conjunction* if; since, because

разбива́ться SS -а́ются; *Impf.* (*Pf.*
разби́ться) crash, have a crash;
hurt oneself • разби́ться
на́смерть crash to death, kill
oneself

разби́ться ES разобью́тся;
разбе́йся! *Pf.* (*Impf.* разбива́ть-
ся) crash, have a crash; hurt
oneself • разби́ться на́смерть
crash to death, kill oneself

разва́ливаться SS -аются; *Impf.*
(*Pf.* развали́ться) collapse; come
tumbling down; fall apart, fall to
pieces; (*colloquial*) sprawl out, sit
or lie sprawling in a chair,
couch, *etc.*

развали́ться MS -а́лятся; *Pf.*
(*Impf.* разва́ливаться) collapse;
come tumbling down; fall apart,
fall to pieces; (*colloquial*) sprawl
out, sit or lie sprawling in a
chair, couch, *etc.*

ра́зве really; perhaps • ра́зве
мо́гут равня́ться... they can
hardly equal...; ра́зве что
perhaps only, perhaps merely;
ра́зве у тебя́ боле́знь... you
think you have a problem
(illness)...

разверну́ться ES -у́тся; *Pf.* (*Impf.*
развёртываться *or* развора́чи-
ваться) unfold; turn about, make
a U-turn; go full speed ahead

развора́чиваться SS -аются; *Impf.*
(*Pf.* разверну́ться) unfold; turn
about, make a U-turn; go full
speed ahead

разгова́ривать SS -ают; *intrans;*
Impf. (*no Pf.*) converse, speak,
talk

разгово́р SS *m.in* conversation
• без разгово́ру without any
complaints or objections

разговори́ться ES -ря́тся; *Pf.* (*no*
Impf.) get into a conversation

раздева́ть SS -а́ют; *Impf.* (*Pf.*
разде́ть) undress (smb.)

раздева́ться SS -а́ются; *Impf.* (*Pf.*
разде́ться) get undressed

разде́ть SS -де́нут; *ppp* разде́тый
S; *Pf.* (*Impf.* раздева́ть) undress
(smb.)

разде́ться SS -де́нутся; *Pf.* (*Impf.*
раздева́ться) get undressed

раздува́ть[1] SS -а́ют; *Impf.* (*Pf.*
разду́ть) fan (a fire); stir up
(trouble, a conflict, *etc.*)

раздува́ть[2] SS -а́ют; *Impersonal;*
Impf. (*Pf.* разду́ть) swell, inflate,
as in глаз раздува́ло the eye
would get swelled up, puffed up

разду́ть[1] SS -ду́ют; *ppp* -ду́тый S;
Pf. (*Impf.* раздува́ть) fan (a fire);
stir up (trouble, a conflict, *etc.*)

разду́ть[2] SS -ду́ют; *ppp* -ду́тый S;
Impersonal; Pf. (*Impf.* разду-
ва́ть) swell, inflate, *as in* глаз
разду́ло the eye got swelled up,
puffed up

ра́зные various, different, all sorts
of

разобьётся *non-past form of*
разби́ться

разойти́сь EE разойду́тся;
разошёлся разошла́сь
разошли́сь; *past adv.* разойдя́сь;
past active ptcpl. разоше́дшийся;
intrans; Pf. (*Impf.* расходи́ться)
part, separate; disperse

разори́ться ES -ря́тся; *Pf.* (*Impf.*
разоря́ться) be ruined, go broke

разоря́ться SS -ются; *Impf.* (*Pf.*
разори́ться) be ruined, go broke

разруба́ть SS -а́ют; *Impf.* (*Pf.*
разруби́ть) cut, split

P

разруби́ть MS -ру́бят; *Pf.* (*Impf.* разруба́ть) cut, split

разыска́ть MS разы́щут; *Pf.* (*Impf.* разы́скивать) find

разы́скивать SS -ают; *Impf.* (*Pf.* разыска́ть) look for, search for, seek, hunt for

райо́н SS *m.in* area, neighborhood; district

ра́к[1] SS *m.an* crawfish

ра́к[2] SS *m.in* cancer, malignant tumor

ра́на SS *f.in* wound

ра́ненный (*ppp of* ра́нить wound) wounded

ра́нить SS -нят; *Pf.-Impf.* (*also Pf.* по-) wound, inflict a wound

распознава́ть ES -зна́ют *Impf.* (*Pf.* распозна́ть) identify, recognize; (*colloquial*) figure out

распозна́ть SS -а́ют; *Pf.* (*Impf.* распознава́ть) identify, recognize; (*colloquial*) figure out

располага́ться SS -а́ются; *Impf.* (*Pf.* расположи́ться) settle down, sit down

расположи́ться MS -ло́жатся; *Pf.* (*Impf.* располага́ться) settle down, sit down

распрекра́сный S *sh.masc.* распрекра́сен (*colloquial*) excellent; beautiful

рассказа́ть MS -ска́жут; *Pf.* (*Impf.* расска́зывать) tell (a story, *etc.*)

расска́зывать SS -ают; *Impf.* (*Pf.* рассказа́ть) tell

рассма́тривать SS -ают; *Impf.* (*Pf.* рассмотре́ть) look at, examine

рассмотре́ть MS -смо́трят; *ppp* рассмо́тренный S; *Pf.* (*Impf.* рассма́тривать) look at, examine

расстра́иваться SS -аются; *Impf.* (*Pf.* расстро́иться) be upset

расстре́ливать SS -ают; *Impf.* (*Pf.* расстреля́ть) shoot, execute

расстреля́ть SS -я́ют; *Pf.* (*Impf.* расстре́ливать) shoot, execute

расстро́иться SS -о́ятся; *Pf.* (*Impf.* расстра́иваться) become upset

рассчита́ть SS -а́ют; *Pf.* (*Impf.* рассчи́тывать) calculate; figure out; plan • он не рассчита́л he miscalculated

рассчита́ться[1] SS -а́ются; *Pf.* (*Impf.* рассчи́тываться) settle accounts, pay off one's debts; settle scores, get even, get revenge; bear responsibility, answer (for), pay (for)

рассчита́ться[2] SS -а́ются; *Pf.* (*Impf.* рассчи́тываться) (*said of people standing in lines, as soldiers at roll call and the like*) take a head count

рассчи́тывать SS -ают; *Impf.* (*Pf.* рассчита́ть) calculate; figure out; plan

рассчи́тываться[1] SS -аются; *Impf.* (*Pf.* рассчита́ться *or old-fashioned* расче́сться) settle accounts, pay off one's debts; settle scores, get even, get revenge; bear responsibility, answer (for), pay (for)

рассчи́тываться[2] SS -аются; *Impf.* (*Pf.* рассчита́ться) (*said of people standing in lines, as soldiers at roll call and the like*) take a head count

растере́ть ES разотру́т; растёр растёрла растёрли; *past adv.* растере́в [*or* растёрши]; растёрший; *ppp* растёртый S; *Pf.* (*Impf.* растира́ть) grind (into small pieces); rub, spread over a surface • э́то плю́нуть и растере́ть (*slang*) that's nothing, that don't mean anything

растерза́ть SS -а́ют; *Pf.* (*Impf.* растёрзывать) tear apart

растеря́ться SS -я́ются; *Pf.* (*Impf.* теря́ться) get lost (*said about a group of things, as in* все пу́говицы растеря́лись all the

buttons got lost); lose one's
head, become disoriented,
confused

растира́ть SS -а́ют; *Impf.* (*Pf.*
растере́ть) grind (into small
pieces); rub, spread over a
surface

растопы́ривать SS -ают; *Impf.* (*Pf.*
растопы́рить) spread out; ruffle,
fluff up

растопы́рить SS -рят; *Pf.* (*Impf.*
растопы́ривать) spread out;
ruffle, fluff up

растра́та SS *f.in* waste;
squandering; embezzlement

расхва́статься SS -аются; *Pf.* (*no
Impf.*) get carried away
bragging, boasting

расходи́ться MS -хо́дятся; *Impf.*
(*Pf.* разойти́сь) part, separate;
disperse

расцве́т SS *m.in* flourishing,
flowering

расчёт SS *m.in* calculation;
computation; payment; gain,
advantage; assumption;
dismissal, discharge; roll call • к
расчёту стро́иться tally up
(*literally,* line up for roll call)

рва́ный S torn

реви́зия SS *f.in* inspection; audit

револьве́р SS *m.in* revolver (*gun*)

ре́жет *non-past form of* ре́зать

режи́м SS *m.in* regime; schedule of
daily events, routine; set of rules
• ца́рский режи́м the tsarist
regime

ре́зать SS ре́жут; *Impf.* (*Pf.* раз-,
от-, по-, *and* на-) cut, slice

ремо́нт SS *m.in* repairs; overhaul;
renovations

ре́чь SE *NPlur.* ре́чи *f.in* speech
• об чём ре́чь (*colloquial*) what
are you talking about?
выступа́ть с ре́чью give a
speech

реша́ться SS -а́ются; *Impf.* (*Pf.*
реши́ться) dare, make up one's
mind, decide to go for it

реши́ться ES -ша́тся; *Pf.* (*Impf.*
реша́ться) dare, make up one's
mind; decide to go for it

ро́вный M (е) [*sh.Plur.* ро́вны]
level, even; regular

родно́й related (by blood); dear,
familiar, close • родно́й бра́т
brother (*as opposed to*
двою́родный, трою́родный, *etc.*
бра́т second, third, *etc.* cousin);
родна́я племя́нница niece (*as
opposed to* двою́родная
племя́нница daughter of a
second cousin)

родны́е *adj. used as Plur. animate
noun* relatives; kinfolk

ро́дственник SS *m.an* relative,
relation (*male*) • ближа́йший
ро́дственник next of kin

ро́жки *Plur. of* рожо́к

рожо́к ES (о) *GPlur.* -# *m.in*
(*dimin. of* ро́г) horn; shoe horn
• оста́вить ро́жки да но́жки
decimate, destroy something so
thoroughly that nothing or
almost nothing is left

рома́н SS *m.in* novel; love affair,
romance

роня́ть SS -я́ют; *ppp avoided*;
Impf. (*Pf.* урони́ть) drop, let
drop (accidentally)

роско́шный S (е) luxurious;
sumptuous

ро́скошь SS *f.in* luxury, luxuriance,
splendor

ро́т EE (о) *Loc.* (во) -у́ *m.in* mouth
(*part of the body*)

ро́юсь *non-past form of* ры́ться

роя́ль SS *m.in* concert piano

руба́ха SS *f.in* shirt • ни́жняя
руба́ха undershirt

руба́шечка SS (е) *f.in, dimin. of*
руба́шка

руба́шка SS (е) *f.in* shirt

ру́бль EE *m.in* rouble

P

рука́ EE *ASg.* ру́ку, *NPlur.* ру́ки
f.in hand; arm • всплесну́ть
рука́ми fling up one's hands (in
horror, bewilderment, *etc.*);
поверте́ть в руке́ finger, turn
this way and that way between
one's fingers; взя́ть себя́ в ру́ки
control one's feelings; махну́ть
руко́й shrug it off, decide not to
bother

рука́в EE *NPlur.* -а́ *m.in* sleeve

руче́й EE (e) *m.in* stream, brook
• пла́кать/залива́ться в три
ручья́ cry one's heart out

ру́чка[1] SS (e) *f.in* handle; pen

ру́чка[2] SS (e) *f.in, dimin. of* рука́

ры́ться SS ро́ются; *Impf.*
(*Pf-awhile* по-) rummage
around; search

ря́дом alongside, side by side,
next to; near, close by, next
door • ря́дом с +*Inst* next to

ря́дышком *colloquial variant of*
ря́дом

С

с[1] *prep.* +*Gen* from; off; since

с[2] *prep.* +*Inst* with, together with;
and, *as in* мы с сестро́й my
sister and I

с[3] *prep.* +*Acc* the size of, *as in*
яйцо́ (разме́ром) с я́блоко an
egg the size of an apple

сади́ться[1] ES -дя́тся; *Impf.* (*Pf.*
сесть) sit down

сади́ться[2] ES -дя́тся; *Impf.* (*Pf.*
сесть) board; get on (a train,
bus, *etc.*); get into (a car); mount
(a horse); alight, perch; land
(*said of an aircraft or rocket*)

сажа́ть SS -а́ют; *Impf.* (*Pf.*
посади́ть) seat, provide seating;
land (*an aircraft, a rocket*); plant

сам *special adj.* (by) oneself
(myself, yourself, yourselves,
himself, herself, itself, ourself,
ourselves, themselves) • са́ми

понима́ете (as) you know; она́
рабо́тает, а сама́ смеётся she
laughs even as she works

самоси́льно (*colloquial*) without
official permission, without
authorization

самостоя́тельный S (e) independent

са́мый[1] *pronominal adj. inflected
like ordinary adj.* most; the most
• са́мый натура́льный the real
thing

са́мый[2] *pronominal adj. inflected
like ordinary adj.* the very, right,
as in в са́мом углу́ right in the
corner • то́т же са́мый the same;
на (*or* в) са́мом де́ле in fact,
indeed, really; э́тот са́мый... this
very...; перед са́мым отъе́здом
just before he left

санда́лия SS *f.in* sandal

сапо́г EE *GPlur.* -# *m.in* high boot

сбега́ть SS -а́ют; *intrans; Impf.*
(*Pf.* сбежа́ть) run down,
descend; run away, escape

сбежа́ть ES сбегу́т, сбегу́,
сбежи́шь, сбежи́т, сбежи́м,
сбежи́те; *intrans; Pf.* (*Impf.*
сбега́ть) run down, descend; run
away, escape

све́жесть SS *f.in* freshness • не
пе́рвой све́жести (*when said of a
person*) not so young, no spring
chicken; (*when said of food*)
stale, not fresh

све́т SS *Part.* -у, *Plur.
hypothetical; m.in* light
(*radiation, illumination*) • при
све́те with the light on

светло́[1] brightly

светло́[2] *predicate* it is light,
bright (enough)

свеча́ EE *NPlur.* све́чи *f.in* candle;
candle power (*old-fashioned unit
of electric power, equivalent to
about one watt*)

100

свида́ние (*also, colloquially,* свида́нье) SS *n.in* meeting, date, rendezvous; visit

свихну́ться ES -у́тся; *Pf.* (*Impf.* сви́хиваться*) (colloquial)* go nuts

свобо́дно freely; easily; fluently

свобо́дный S (e) *also used as m./f.an noun* free; liberated; liberal; (*as noun*) free person

сво́й *special adj.* one's own (my, your, his, her, its, our, their)

свы́ше *prep.* +*Gen* more than; beyond

свя́зь SS *f.in* connection • в связи́ с э́тим because of that, in connection with that

сде́лать SS -ают; *Pf.* (*Impf.* де́лать) make; do • сде́лать одолже́ние do a favor; сде́лать замеча́ние make a critical comment

сдира́ть SS -а́ют; *Impf.* (*Pf.* содра́ть) rip off; (*colloquial*) copy, imitate

себя́ *pronoun; no Nom. form* oneself (myself, yourself, himself, herself, itself, ourself, ourselves, themselves)

сего́дня *adv and indeclinable n.in noun* today

седьмо́й *numeral inflected like adj.* seventh

сезо́н SS *m.in* season

сейча́с now; just now; presently, soon • сейча́с же immediately

секрета́рь EE *m.an* secretary

сёл *past tense form of* се́сть

семе́йный S (e) family

се́мь seven • твою́ се́мь-во́семь (*slang, not common*) (*a mild swearing, used as a euphemism for a much stronger one*) darn! shoot!

семья́ ES (e) *GPlur.* семе́й *f.in* family

серде́чный S (e) kind, warm-hearted; heartfelt, cordial

серди́то angrily

серди́ться MS се́рдятся; *Impf.* (*Pf.* рас-) be angry

се́рдце SE (e) *n.in* heart

се́ренький *dimin. of* се́рый

се́рый M grey

серьёзно seriously; earnestly

серьёзный S (e) serious; earnest • де́ло принима́ет серьёзный оборо́т it looks like trouble

сестра́ ES (ё) *NPlur.* сёстры, *GPlur.* сестёр *f.an* sister

се́сть[1] SS ся́дут; *Imperative both* ся́дь! *and, more politely,* сади́сь! сёл се́ла се́ли; *past adv.* се́в[ши]; *intrans; Pf.* (*Impf.* сади́ться) sit down

се́сть[2] SS ся́дут; *Imperative both* ся́дь! *and, more politely,* сади́сь! сёл се́ла се́ли; *past adv.* се́в[ши]; *intrans; Pf.* (*Impf.* сади́ться) board, get on (a train, bus, *etc.*); get into (a car); mount (a horse); alight, perch; land (*said of an aircraft or rocket*)

се́ть SE [*Loc.* (в) -и́]; *f.in* net; network • электри́ческая се́ть electric supply line

сжа́ть ES сожму́т; *ppp* сжа́тый S; *Pf.* (*Impf.* сжима́ть *and* жа́ть) squeeze, press

сжима́ть SS -а́ют; *Impf.* (*Pf.* сжа́ть) squeeze, press

сиде́ть ES сидя́т; *pres. adv.* си́дя; *intrans; Impf.* (*Pf-awhile* по-) sit • сиде́ть в тюрьме́ be in jail

си́ла SS *f.in* strength, force

си́льно[1] strongly; violently

си́льно[2] very much, greatly; badly, extremely

си́льный E (ё) *short forms* силён, сильна́, си́льно, сильны́ strong; severe, bad (*when said of pain*)

си́тный (*bread and dough made with sifted flour*) • дру́г си́тный (*slang*) old buddy

ска́жем (*colloquial*) let's say • пря́мо ска́жем to tell the truth сказа́ть MS -ка́жут; *Pf.* (*Impf.* говори́ть) say; tell • как бы сказа́ть so to speak; ну́ э́то ка́к сказа́ть this may not be really true; е́сли не сказа́ть ху́же to put it mildly, to put it kindly; так сказа́ть so to speak; Ничего́ не ска́жешь! (*often ironic*) One can't object (to this); пря́мо сказа́ть... to tell (you) the truth...

ска́зка SS (о) *f.in* fairy tale

скаме́йка SS (е) *f.in* bench

сквозь *prep.* +*Acc* through

ски́дывать SS -ают; *Impf.* (*Pf.* ски́нуть *or colloquial* скида́ть) throw off; throw down; (*colloquial*) take off (*said of clothing*)

ски́нуть SS -нут; *Pf.* (*Impf.* ски́дывать) throw off; throw down; (*colloquial*) take off (*said of clothing*)

ско́лько how much • не сто́лько... ско́лько... not so much... as ... *as in* он не сто́лько рабо́тает, ско́лько говори́т he talks more than he works

сконфу́зиться SS -зятся; *Pf.* (*Impf.* конфу́зиться) become embarrassed

скоре́е *compar. of* ско́рый, ско́ро

скоре́й *spelling variant of* скоре́е

ско́рый M quick, fast • ско́рая по́мощь ambulance; в ско́ром бу́дущем in the near future

скули́ть ES -ля́т; *intrans; Impf.* (*Pf-begin* за- *and Pf-awhile* по-) whimper

ску́чно[1] tediously, in a boring manner

ску́чно[2] *predicate* it is boring; be bored *e.g.* Мне́ ску́чно I'm bored

ску́шать SS -ают *Pf.* (*Impf.* ку́шать) (*colloquial*) eat

сла́вный M (е) famous, glorious; nice, pleasant • сла́вная

компа́ния wonderful bunch of people

слегка́ slightly

сле́довать SS -дуют; *intrans; Impf.* (*Pf-begin* по-) follow, be/move in the wake of smt./smb.

сле́дующий S (*also pres. active ptcpl. of* сле́довать) following, next

слеза́ EE *NPlur.* слёзы *f.in* tear (*eye secretion*)

слеза́ть SS -а́ют; *intrans; Impf.* (*Pf.* слезть) climb down, get off

слези́нка SS (о) *f.in, dimin. of* слеза́

слезть SS -ле́зут; -ле́з -ле́зла -ле́зли; *past adv.* -ле́зши; *intrans; Pf.* (*Impf.* слеза́ть) climb down, get off

сле́сарь SS [*or* SE *NPlur.* -я́] *m.an* metal worker; locksmith

сло́во SE *n.in* word • одни́м сло́вом (*used parenthetically*) in short, in a word

служе́бный S (е) related to one's employment • при исполне́нии служе́бных обя́занностей in the line of duty

слу́чай SS *m.in* case; event • в тако́м слу́чае in that case; в кра́йнем слу́чае at the very worst, if worst comes to worst; Скажи́ како́й слу́чай! (*colloquial*) Look how it turned out!

случа́ться SS -а́ются; *Impf.* (*Pf.* случи́ться) happen, occur

случи́ться ES -ча́тся; *Pf.* (*Impf.* случа́ться) happen, occur • что́ бы ни случи́лось (*colloquial*) whatever happens, rain or shine

слу́шать SS -ают; *Impf.* (*Pf-awhile* по-) listen • слу́шать ку́рс take a course

слыха́ть SS *no non-past forms; Impf.* (*no Pf.*) (*colloquial*) hear

слы́шать SS слы́шат; *Imperative avoided; pres. passive ptcpl.* слы́шимый; *Impf.* (*Pf.* у-) hear

сме́ло[1] boldly, without fear

сме́ло[2] safely, without risking anything

смерте́льный S (e) fatal, lethal

смерть SE *NPlur.* сме́рти *f.in* death • при́ смерти dying; дра́ться не на жи́знь, а на́ смерть fight to the death; fight tooth and nail

смех SS *Part.* -у *m.in* laughter

смешно́й E (o) funny

смея́ться ES смею́тся; *Impf.* (*Pf-begin* за- *and Pf-awhile* по-) laugh

сми́рный M (e) [*sh.Plur.* сми́рны] obedient; quiet • Сми́рно! Attention! (*military command*)

Смоле́нское (кла́дбище) *name of a cemetery*

сморгну́ть ES -ну́т; *ppp avoided*; *Pf.* (*no Impf.*) blink

сморка́ться SS -а́ются; *Impf.* (*Pf.* вы́-) blow one's nose

смота́ться SS -а́ются; *Pf.* (*Impf.* сма́тываться) (*slang*) go, run somewhere and come back

смотре́ть MS смо́трят; *ppp* смо́тренный S; *Impf.* (*Pf.* по-) look (at); watch, see

смотре́ться MS смо́трятся S; *Impf.* (*no Pf.*) be seen; look

смотря́ (*also pres. deverbal adv. of* смотре́ть) depending, *as in* смотря́ кто́/что́/где́ *etc.* depending on who/what/where *etc.*; смотря́ како́й it depends (on its kind)

смути́ть ES -тя́т смущу́; *ppp* смущённый E; *Pf.* (*Impf.* смуща́ть) confuse; embarrass; stop, give pause

смуща́ть SS -а́ют; *Impf.* (*Pf.* смути́ть) confuse; embarrass; stop, give pause

смыва́ться SS -а́ются; *Impf.* (*Pf.* смы́ться) wash off, come off; (*slang*) disappear, take off, escape

смы́ться SS смо́ются; *Pf.* (*Impf.* смыва́ться) wash off, come off; (*slang*) disappear, take off, escape

снару́жи from the outside; on the outside; outwardly

сна́шиваться SS -аются *Impf.* (*Pf.* сноси́ться) wear out, wear thin

снег SE *Part.* -у, *Loc.* (в/на) -у́ *NPlur.* -а́ *m.in* snow

снести́сь EE -несу́тся; -нёсся -несла́сь -несли́сь; *past adv.* снёсшись; *past active ptcpl.* -нёсшийся; *Pf.* (*Impf.* сноси́ться) get in touch, establish connection

снима́ть SS -а́ют; *Impf.* (*Pf.* снять) take off, remove; fire, dismiss; take (pictures, movies); rent (from)

сно́ва again, anew

сноси́ться[1] MS сно́сятся; *Impf.* (*Pf.* снести́сь) get in touch, establish connection

сноси́ться[2] MS сно́сятся; *Pf.* (*Impf.* сна́шиваться) wear out, wear thin

снять MM сни́мут; *ppp* сня́тый M; *Pf.* (*Impf.* снима́ть) take off, remove; fire, dismiss; take (pictures, movies); rent (from)

со[1] *prep.* +*Inst* with, together with; and, *as in* мы со ста́ршей сестро́й my older sister and I

со[2] *prep.* +*Acc* about; the size of, *as in* драко́н (разме́ром) со скалу́ a dragon the size of a cliff

соба́ка SS *f.an* dog

соба́чка[1] SS (e) *f.an, dimin. of* соба́ка

соба́чка[2] SS (e) *f.in* trigger

собира́ться SS -а́ются; *Impf.* (*Pf.* собра́ться) intend; be about to; get ready; get together, meet • собира́ться с мы́слями collect one's thoughts; собира́ться с си́лами summon up one's strength

C

собо́й *Inst of* себя́ *reflexive pronoun* (oneself, himself, myself, *etc.*)

собра́ние SS *n.in* meeting, gathering

собра́ться EE [*or* EM] -беру́тся; [-бра́лся *or old-fashioned* -брала́сь] *Pf.* (*Impf.* собира́ться) intend; be about to; get ready; get together, meet • собра́ться с мы́слями collect one's thoughts; собра́ться с си́лами summon up one's strength

со́бственно in fact, really

со́бственный one's own • со́бственной персо́ной in person, in the flesh

сова́ть ES сую́т; *Impf.* (*Pf-once* су́нуть) shove, stick

сова́ться ES сую́тся; *Impf.* (*Pf-once* су́нуться) meddle, butt in

соверше́нно perfectly; completely; absolutely

со́весть SS *f.in* conscience • по со́вести honestly

сове́тский Soviet

совсе́м entirely, completely • не совсе́м not quite; совсе́м не not at all, not in the least

содра́ть EM сдеру́, сдерёт, сдеру́т; со́дранный S [*or old-fashioned* M]; *Pf.* (*Impf.* сдира́ть) take off (a piece of clothing); (*colloquial*) copy, imitate

созна́тельный S (e) conscientious; responsible, socially and politically mature

сойти́ EE сойду́т; сошёл сошла́ сошли́; *intrans; past adv.* сойдя́; *past active ptcpl.* соше́дший [*or old-fashioned* сше́дший]; *Pf.* (*Impf.* сходи́ть) come/go down; go off; get off • сойти́ с ума́ go crazy

со́лнце SS *n.in* sun; sunshine, sunlight

сомне́ние SS *n.in* doubt

соображать SS -а́ют; *Impf.* (*Pf.* сообрази́ть) ponder, think things over, figure out

сообрази́ть ES -зя́т; *Pf.* (*Impf.* сообража́ть) ponder, think things over, figure out

сопля́к EE *m.an* little snot, punk

со́рок forty

сосе́д SS *NPlur.* сосе́ди *m.an* neighbor

сошёл *past tense form of* сойти́

сою́з SS *m.in* union; alliance; conjunction

спаса́ться SS -а́ются; *Impf.* (*Pf.* спасти́сь) escape, save one's life, make a safe getaway

спасти́сь EE спасу́тся; спа́сся спасла́сь спасли́сь; *past adv.* спа́сшись; *Pf.* (*Impf.* спаса́ться) escape, save one's life, make a safe getaway

спать EM спя́т; *pres. adv. avoided; intrans; Impf.* (*Pf-awhile* по-) sleep • ложи́ться спа́ть go to bed

спекта́кль SS *m.in* show, performance

сперва́ (*colloquial*) at first; first

спере́ть ES сопру́т; спёр спёрла спёрли; *past adv.* сперёв [*or* спёрши]; *ppp* спёртый S; *Pf.* (*Impf.* спира́ть) (*slang*) steal, pilfer

спеть ES -пою́т; *ppp* спе́тый S; *Pf.* (*Impf.* петь) sing

спе́шно urgently

сплошно́й *no short forms; no compar.* continuous, unbroken, complete; (*colloquial*) pure, utter

спола́скивать SS -ают; *Impf.* (*Pf.* сполосну́ть) rinse, rinse out

сполосну́ть ES -ну́т; *Pf.* (*Impf.* спола́скивать) rinse, rinse out

справедли́вость SS *f.in* fairness; justice

спрóс SS *m.in* demand, need (for) • без спрóсу (*colloquial*) without asking (anyone's permission)

спря́тать SS спря́чут; *Pf.* (*Impf.* пря́тать) hide, conceal (smt./smb.)

спря́чьте *Imperative of* спря́тать

сра́зу at once, right away

срéдство SS *n.in* remedy; way, means

станови́ться[1] MS станóвятся; *Impf.* (*Pf.* ста́ть) *used only with an Instrumental noun or adj.* become (smt./smb.)

станови́ться[2] MS станóвятся; *Impersonal; Impf.* (*Pf.* ста́ть) get, become, *as in* Станóвится хóлодно It's getting cold

ста́нция SS *f.in* station (railroad, bus, radio)

старéть SS -éют; *intrans; Impf.* (*Pf.* по-) grow old

стари́к EE *m.an* old man

ста́рший elder, older; senior

ста́ть[1] SS ста́нут; *intrans; Pf.* (*no Impf.*) *used only with an infinitive* start, *as in* Пóезд ста́л дви́гаться The train started to move

ста́ть[2] SS ста́нут; *intrans; Pf.* (*Impf.* станови́ться) *used only with an Instrumental noun or adj.* become (smt./smb.)

ста́ть[3] SS ста́нет; *Impersonal; Pf.* (*Impf.* станови́ться) get, become, *as in* Ста́ло хóлодно It got cold

ста́ть[4] SS ста́нет; *Impersonal; Pf.* (*no Impf.*) *used only with negation* be no more, disappear, perish, *as in* Хлéба не ста́ло There was no more bread; не ста́ло человéка this man was no more, we lost this man

стеклó ES (о) *NPlur.* стёкла *n.in* glass; lens (of spectacles, *etc.*)

стёклышко SS (е) *NPlur.* -и *n.in, dimin. of* стеклó

стена́ ES *ASg.* стéну [old-fashioned EE *ASg.* стéну, *NPlur.* стéны] *f.in* wall

сти́раный laundered, washed

сти́рка SS (о) *f.in* washing, (the process of doing) the laundry

стóимость SS *f.in* value; cost

стóить SS -óят; *no passive forms; Impf.* (*no Pf.*) cost; be worth; (*when used with infinitive*) all one needs to do is... *e.g.* стóило емý *Dat* попроси́ть, и всё для негó дéлали all he needed to do was ask, and everything was done for him

стóл EE *m.in* table

столóвая *used as f.in noun* cafeteria; dining room

столóвка SS (о) *f.in* (*colloquial*) cafeteria

столóвый table, related to table use, *as in* table wine

стóпка[1] SS (о) *f.in* pile; heap

стóпка[2] SS (о) *f.in* shot glass, small drinking glass (for wine or vodka)

сторона́ EE *ASg.* стóрону, *NPlur.* стóроны *f.in* direction; side • с однóй стороны́... а с другóй стороны́ on the one hand... but on the other hand...; смотрéть по сторона́м look around; в стóрону sideways; away

стóя *pres. deverbal adv. of* стоя́ть standing, standing up

стоя́ть[1] ES стоя́т; *pres. adv.* стóя; *intrans; Impf.* (*Pf-awhile* по-) stand • стоя́ть над душóй (colloquial) breathe down someone's neck

стоя́ть[2] ES стоя́т; *pres. adv.* стóя; *intrans; Impf.* (*no Pf.*) be at a standstill

стра́нный M (е) strange, odd

стра́шный M (е) [*sh.Plur.* стра́шны́] frightful, awful

стреща́ть (*dialectal or substandard*) (try to) frighten; threaten

стреля́ть SS -я́ют; *Impf.* (*Pf.* вы́стрелить) shoot

стро́ить[1] SS -о́ят; *pres. passive ptcpl.* стро́имый; *Impf.* (*Pf.* по- *and* вы́-) build

стро́ить[2] SS -о́ят; *pres. passive ptcpl.* стро́имый; *Impf.* (*Pf.* по-) make (*plans, etc.*)

стро́иться SS -о́ятся; *Impf.* (*Pf.* по-) form up, line up • к расчёту стро́иться tally up; line up for roll call

строка́ EE [*or* ES] *NPlur.* стро́ки *f.in* line (of text)

стро́чка SS (е) *f.in, dimin. of* строка́

стря́пать SS -ают; *Impf.* (*Pf.* со-) (*colloquial*) cook, prepare food

сту́дия SS *f.in* studio

сту́кнуть[1] SS -нут; *Pf-once* (*no Impf.*) strike, hit smt./smb.

сту́кнуть[2] -нет; *Impersonal Pf.* (*no Impf.*) (*colloquial*) become a certain (relatively advanced) age *e.g.* Мне́ три́дцать сту́кнуло I turned thirty; I was no longer a boy

сту́л SS *NPlur.* сту́лья *m.in* chair

сты́дно *predicate* be ashamed *e.g.* Мне́ сты́дно за свои́ слова́ I'm ashamed of what I said

суббо́та SS *f.in* Saturday

су́д EE *m.in* court; trial • отда́ть под су́д prosecute, take to court

суёт *non-past form of* сова́ть

суётесь *non-past form of* сова́ться

су́кин *special adj.* • су́кин сы́н son of a bitch

суме́ть SS -е́ют; *intrans; Pf.* (*Impf.* уме́ть) succeed in, be able to

су́мка SS (о) *f.in* bag, purse

су́нуть SS -нут; *Pf-once* (*Impf.* сова́ть) shove in, stick in

су́нуться SS -нутся; *Pf-once* (*Impf.* сова́ться) meddle, butt in; (*colloquial*) address (smb.), go to (smb.)

су́п SE *Part.* -у, [*Loc.* (в) -у́] *m.in* soup

суро́во severely; sternly

схвати́ть MS схва́тят; *Pf.* (*Impf.* схва́тывать *and* хвата́ть) grab

сходи́ть MS схо́дят; *intrans; Pf.* (*Impf.* ходи́ть) go, walk somewhere and back

схо́дство SS *n.in* similarity, likeness, resemblance

сча́стливо happily; with luck • Счастли́во! Goodbye! So long!

сча́стье SS (и) *n.in* happiness; luck • к сча́стью fortunately; ва́ше сча́стье you're in luck

счесть EE сочту́т; счёл сочла́ сочли́; *past adv.* сочтя́; *no past active ptcpl; Pf.* (*Impf.* счита́ть) consider, believe, think

счёт[1] SE *NPlur.* -á *m.in* account • на э́тот счёт about that, on that score; что́ за счёты! (*colloquial*) let's not be petty

счёт[2] SE *NPlur.* -á *m.in* bill, check, *as in* a restaurant check

счётчик SS *m.in* counter, meter

счита́ть[1] SS -а́ют; *Impf.* (*Pf.* со-) count • счита́йте с челове́ка (*colloquial*) charge per person

счита́ть[2] SS -а́ют; *Impf.* (*Pf.* счесть) consider, believe, think

счита́ться[1] SS -а́ются; *Impf.* (*no Pf.*) be considerate (towards smt./smb.); (*when used with Inst*) be considered, be seen as, have the reputation of

счита́ться[2] SS -а́ются; *Impf.* (*Pf.* по-) take into consideration

счита́ясь *pres. deverbal adv. of* счита́ться

съеда́ть SS -а́ют; *Impf.* (*Pf.* съесть) eat up

съесть ES -едя́т -е́м -е́шь -е́ст -еди́м -еди́те; -е́шь! -е́л -е́ла -е́ли; *past adv.* -е́в[ши]; *ppp* съе́денный S; *Pf.* (*Impf.* съеда́ть) eat up

сын¹ SE *NPlur.* сыновья́, *GPlur.*
сыновей *m.an* son
сын² SE *m.an* son, child
(*figuratively, as in* native son)
сюда́ here, to this place

Т

та́ *fem. form of* тот that (one)
так¹ so, then • так как since, as
так² *particle used to add slight
emphasis, e.g.* Так что́ же
де́лать? So what are we to do?
так³ so, thus, like this, in this way
• не та́к amiss, wrong
так⁴ nothing in particular, *e.g.*
Что́ с тобо́й? — Та́к, ничего́.
What's the matter with you? —
Nothing in particular; Почему́
ты́ э́то сде́лал? — Про́сто та́к.
Why did you do that? — Just
because, for no particular
reason.
тако́й¹ such; such a; (*used as an
animate noun*) a person (of such
kind) • тако́й же the same; the
same kind of; что́ это тако́е?
what is that thing?; что́ тако́е?
what's going on here? ничего́
тако́го nothing of the kind;
nothing special; и всё тако́е
(*colloquial*) and all that; оди́н
тако́й дя́дя some guy, a guy;
чуда́к тако́й (being) the
eccentric that he is; он тако́й,
что... he is the sort of person
who...
тако́й² (*used before long-form
adjectives only*) so; such *e.g.* она́
така́я краси́вая she is so
beautiful
там¹ there
там² (*colloquial*) later; (*colloquial*)
then, at that time
там³ *colloquial, emphasizes a
familiar, uneducated style of
speech, as in* сапоги́ та́м "these
there" boots

там⁴ *adds a note of indifference, as
in* Он вся́кие та́м глу́пости
говори́т He talks all kinds of
nonsense
твой *special adj.* your, yours
• твою́ се́мь-во́семь (*slang, not
common*) (*a mild swearing, used
as a euphemism for a much
stronger one*) darn! shoot!
те *Plur. of* тот that (one)
теа́тр SS *m.in* theater
• идти́/ходи́ть в теа́тр go to the
theater, attend theatrical
performances
театра́л SS *m.an* theater
enthusiast
театра́льный S (e) theater,
theatrical
тем so much the, *as in* тем лу́чше
so much the better • чем.., тем...
the... the... *as in* чем вы́ше, тем
лу́чше the taller the better; тем
не ме́нее nonetheless
тёмный E (e) *sh.masc.* тёмен dark
тепе́рича (*dialectal or substandard*)
now; nowadays, today
тепе́рь now; nowadays, today
тёплый E (e) *sh.masc.* тёпел
warm
тере́ть ES трут; тёр тёрла тёрли;
no pres. adv; past adv. тёрши
past active ptcpl. тёрший *ppp*
тёртый S; *Impf.* (*Pf. and
Pf-awhile* по-) rub
тех *GPlur. and PPlur. of* тот that
течь¹ EE теку́т теку́ течёт; тёк
текла́ текли́; *no pres. adv; past
adv.* тёкши; *intrans; Impf.*
(*Pf-begin* по-) flow
течь² EE теку́т теку́ течёт; тёк
текла́ текли́; *no pres. adv; past
adv.* тёкши; *intrans; Impf.*
(*Pf-begin* по-) leak (*said of
vessels, conduits, etc.*)
ти́хий M [*sh.Plur.* тихи́] quiet,
soft, low
ти́хо quietly; calmly

-то[1] *particle that adds a tone of familiarity and/or emphasis to the preceding word without changing its meaning* exactly, precisely, just, *as in* Слона́-то я и не приме́тил The elephant is exactly what I missed (failed to notice)

-то[2] *used after question words to render the meaning* some, *as in* где́-то somewhere

то́[3] then, *as in* е́сли X, то́ Y if X, then Y • а то́ otherwise, or else; то́... то́... now (this)... now (that); не то́... не то́... either... or...; а не то́ or else (*a threat*)

то́[4] *neut. form of* то́т

това́рищ SS *m.an* comrade, friend

тогда́ then, in that case; then, back then, at that moment, at that time

того́ (*ASg. and GSg. of* то́т) that (one) • от того́ from that, because of that; до того́, (что)... so much that...

то́ есть that is, that is to say

то́же[1] also, as well, too; either

то́же[2] *used as an expression of irony, as in* То́же мне́ учи́тель! Some teacher!

то́к SS *Part.* -у; *m.in* electric current

толка́ть SS -а́ют *Impf.* (*Pf-once* толкну́ть) push, shove

толкну́ть SS -ну́т *Pf-once* (*Impf.* толка́ть) push, shove

то́лько[1] only, merely, solely; just, as soon as; only, but • как то́лько as soon as

то́лько[2] *adds a note of surprise and/or dismay, as in* заче́м то́лько?.. why on earth?..

то́лько-то́лько barely

то́н[1] SE *NPlur.* -а́ *m.in* color, hue

то́н[2] SE *NPlur.* то́ны [or SS] *m.in* tone, note

то́н[3] S *no Plur* intonation, tone (of voice)

топи́ть MS то́пят; *Impf.* (*Pf-begin* за-, *Pf.* вы́-, про-) make fire in the stove, furnace, *etc.*

то́пка SS (о) *f.in* furnace; (the process of) building the fire in the stove, a heating operation

топо́р EE *m.in* axe

торгпре́дство SS *n.in* (*abbrev. for* торго́вое представи́тельство) trade delegation, trade mission

торже́ственный S (e) solemn; gala

торопи́ться MS торо́пятся; *Impf.* (*Pf.* по-) hurry

тоскли́вый S melancholy; depressed; dreary; dismal; depressing

то́т[1] *used with question words, and with* кото́рый *and* кто́ the... that *e.g.* э́та та́ кни́га, кото́рую вы́ иска́ли? is this the book (that) you were looking for? то́, ка́к он на ме́ня посмотре́л... the way he looked at me...; то́ есть that is, that is to say

то́т[2] *special adjective* that, that one; the; the former; the other (one) • то́т же the same; ме́жду те́м meanwhile; к тому́ же moreover; не то́т the wrong (one); тому́ наза́д ago; я э́то к тому́ говорю́, что... I am saying it because...; от того́ from that, because of that; до того́, (что)... so much that...

то́чка SS (e) *f.in* period (*punctuation*); dot; point, precise location • то́чка зре́ния point of view

тошни́ть[1] ES -ни́т; *Impersonal; Impf.* (*Pf.* с-, вы́-) vomit

тошни́ть[2] ES -ни́т; *Impersonal; Impf.* (*no Pf.*) feel nauseous, feel queasy, sick

трамва́й SS *m.in* trolley, streetcar

трамва́йный streetcar, tram

тра́хаться SS -аются *Pf.* (*Impf.* тра́хнуться) (*colloquial*) hit, bump into

тра́хнуться SS -нутся *Pf.* (*Impf.*
тра́хаться) (*colloquial*) hit, bump
into
тре́буваешь (*substandard colloquial
variant of a non-past form of*
тре́бовать) demand (smt.) (of
smb.)
тре́бовать SS -буют; *Impf.* (*Pf.*
по-) demand (smt.) (of smb.)
трево́жить SS -жат; *Impf.* (*Pf.* вс-)
alarm; worry; trouble
тре́звый M [*sh.Plur.* тре́звы́]
sober, not drunk; sober, sensible,
reasonable
трепа́ть MS тре́плют; *ppp*
трёпанный S; *Impf.* (*Pf.* рас-,
по-) dishevel, tousle; pat
трёт *non-past form of* тере́ть rub
тре́тий *numeral inflected like
special adj.* third • тре́тьего дня́
the day before yesterday
трёшь *non-past form of* тере́ть rub
три́ three • пла́кать в три́ ручья́
cry one's heart out
три́дцать thirty
трина́дцать thirteen
тро́гать SS -ают; *Impf.* (*Pf-once*
тро́нуть) touch
тру́д EE *m.in* work, labor • без
труда́ without difficulty; с
трудо́м with difficulty
трудово́й working; hard-earned,
honestly earned • трудовы́е
дохо́ды honestly earned income
трудя́щийся[1] *pres. active ptcpl. of*
труди́ться working
трудя́щийся[2] *used as m.an noun*
worker, any person who works
трю́хнуться SS -утся; *Pf-once*
(*Impf.* трю́хаться) (*slang variant
of* тра́хнуться) hit, bump into
трясти́сь EE трясу́тся; тря́сся
трясла́сь трясли́сь; *past adv.*
тря́сшись; *Impf.* (*Pf-begin* за-)
shake, tremble
туда́ there, to that place
ту́мба SS *f.in* post, pedestal,
billboard (shaped as a cylinder)

ту́т here; at this point; now
туши́ть MS ту́шат; *pres. active
ptcpl.* ту́шащий; *Impf.* (*Pf.* по-)
extinguish
ту́ю *ASg. of* та́я, *dialectal or
substandard variant of* та́
ты́ *pronoun* you (*familiar mode of
address to one person*)
тюрьма́ ES (e) *f.in* jail • се́сть в
тюрьму́ go to jail
тя́га SS *f.in* pulling, towing power;
traction
тяжело́ heavily; severely, gravely
badly (*wounded, ill, hurt, etc.*)
тяжёлый E heavy; difficult, hard;
severe, grave, bad (*said of
wound, illness, etc.*)

У

у[1] *prep.* +*Gen* by, at; at
(somebody's house)
у[2] *prep.* +*Gen* from
у[3] *prep.* +*Gen, used in expressions
meaning* have, *as in* У меня́ е́сть
сестра́ I have a sister
у́[4] oh!
убива́ть SS -а́ют; *Impf.* (*Pf.*
уби́ть) kill, murder
уби́ть ES -бью́т; -бе́й! *ppp*
уби́тый S; *Pf.* (*Impf.* убива́ть)
kill, murder
убо́рная *used as f.in noun*
bathroom, lavatory, toilet
ува́жить SS -жат; *Pf.* (*no Impf.*)
(*colloquial*) show respect
уви́деть SS уви́дят; *ppp*
уви́денный S; *Pf.* (*Impf.* ви́деть)
see, notice, glimpse
увлека́ться SS -а́ются; *Impf.* (*Pf.*
увле́чься) be very interested
(in), be enthusiastic (about), be
into (smt.)
увле́чься EE увлеку́тся увлеку́сь
увлечётся; увлёкся увлекла́сь
увлекли́сь; *past adv.* увлёкшись;
Pf. (*Impf.* увлека́ться) develop

an enthusiasm for (smt.);
become engrossed in (smt.)

уга́р SS *Part.* -у; *m.in* carbon
monoxide fumes; carbon
monoxide poisoning

у́гол EE (о) *Loc.* (в/на) -у́ *m.in*
corner

угора́ть SS -а́ют; *intrans; Impf.*
(*Pf.* угоре́ть) get carbon
monoxide poisoning

угоре́ть ES -я́т; *intrans; Pf.* (*Impf.*
угора́ть) get carbon monoxide
poisoning

уда́рный emergency; high
efficiency (*said of teams,
factories, etc.*); urgent • в
уда́рном поря́дке on an
emergency basis; on the double

удиви́тельно *predicate* it is
amazing, surprising, strange
• Не удиви́тельно, что ... No
wonder that ... ещё
удиви́тельно, как... (under the
circumstances), it is surprising
that...

удиви́ться ES -вя́тся; *Pf.* (*Impf.*
удивля́ться) be surprised

удивля́ться SS -я́ются; *Impf.* (*Pf.*
удиви́ться) be surprised

удостове́риться SS -рятся; *Pf.*
(*Impf.* удостоверя́ться) verify,
prove

удостоверя́ться SS -ря́ются; *Impf.*
(*Pf.* удостове́риться) verify,
prove

уж[1] *variant of* уже́

уж[2] *emphatic particle, colloquial,
often untranslated e.g.* о́чень уж
very; very much

ужа́сно terribly, awfully

ужа́сный S (e) terrible, horrible

уже́ already; now; by now;
untranslated particle, as in Э́то
уже́ друго́е де́ло That's quite a
different matter • уже́ не no
longer

узнава́ть ES узнаю́т; узнава́й!
pres. adv. узнава́я; *pres. passive*

ptcpl. узнава́емый; *Impf.* (*Pf.*
узна́ть) find out, learn;
recognize, identify

узна́ть SS -а́ют; *Pf.* (*Impf.* узна-
ва́ть) find out, learn; recognize,
identify

узо́р SS *m.in* pattern, design • ему́
не узо́ры писа́ть it's not as if he
needs to do needlepoint

уйти́ EE уйду́т; ушёл ушла́ ушли́;
past adv. уйдя́; *past active ptcpl.*
уше́дший; *intrans; Pf.* (*Impf.*
уходи́ть) leave, go away, walk
away

укори́зненно reproachfully

у́лица SS *f.in* street

улы́бка SS (о) *f.in* smile • посла́ть
возду́шную улы́бку (*not common*)
give a smile

ум EE *m.in* mind, intellect
• свихну́ться с ума́ (*colloquial*)
go nuts

уме́ть SS -е́ют; *intrans; Impf.* (*Pf.*
суме́ть) know how (to do smt.),
have the skill, the training

умоли́ть MS умо́лят; *ppp*
умолённый E; *Pf.* (*Impf.*
умоля́ть) (*colloquial*) talk smb.
into smt. by begging or pleading

умоля́ть SS -я́ют; *Impf.* (*Pf,
colloquial* умоли́ть) beg; plead
with; implore; beseech

унижа́ть SS -а́ют; *Impf.* (*Pf.*
уни́зить) humiliate, insult

уничтожа́ющий S scathing,
devastating; withering

уны́лый S downcast; dejected;
dreary; dismal; depressed;
doleful

упа́сть ES упаду́т; упа́л упа́ла
упа́ли; *past adv.* упа́в[ши];
intrans; Pf. (*Impf.* па́дать) fall

употреби́ть ES -бя́т; *Pf.* (*Impf.*
употребля́ть) use (*said of things
you use up, like foods and
supplies; also said of words and
phrases; not said of tools and
devices*)

употребля́ть SS -я́ют; *Impf.* (*Pf.* употреби́ть) use (*said of things you use up, like foods and supplies; also said of words and phrases; not said of tools and devices*)

упра́шивать SS -ают; *Impf.* (*Pf.* упроси́ть) (try to) talk into, persuade

упроси́ть MS упро́сят; *Pf.* (*Impf.* упра́шивать) talk into, persuade

уравнове́сить SS -ве́сят; -ве́шу *Pf.* (*Impf.* уравнове́шивать) balance

уравнове́шивать SS -ают *Impf.* (*Pf.* уравнове́сить) balance

урони́ть MS уро́нят; *Pf.* (*Impf.* роня́ть) drop, let drop (accidentally)

уса́живаться SS -ются *Impf.* (*Pf.* усе́сться) take a seat, sit down

усе́сться SS уся́дутся; уся́дься! усе́лся усе́лась усе́лись; *past adv.* усе́вшись; *Pf.* (*Impf.* уса́живаться) take a seat, sit down

у́сики S *Plur. only; #-declension m.in, dimin. of* усы́ moustache

усмеха́ться SS -а́ются; *Impf.* (*Pf.* усмехну́ться) grin; smirk

усмехну́ться ES усмехну́тся; *Pf.* (*Impf.* усмеха́ться) grin; smirk

устава́ть ES устаю́т; устава́й! *pres. adv.* устава́я; *intrans; Impf.* (*Pf.* уста́ть) get tired

уста́ть SS уста́нут; *intrans; Pf.* (*Impf.* устава́ть) get tired

устра́ивать[1] SS -ают; *Impf.* (*Pf.* устро́ить) arrange, organize

устра́ивать[2] SS -ают; *Impf.* (*Pf.* устро́ить) be suitable, suit

устро́ить[1] SS -оят; *Pf.* (*Impf.* устра́ивать) arrange, organize

устро́ить[2] SS -оят; *Pf.* (*Impf.* устра́ивать) be suitable, suit

усы́ E *Plur. only; m.in* moustache

утоми́ть ES утомя́т; утомлю́ *Pf.* (*Impf.* утомля́ть) tire out, make weary

утомлённый *ppp of* утоми́ть exhausted

утомля́ть SS -я́ют *Impf.* (*Pf.* утоми́ть) tire out, make weary

у́хо SE *NPlur.* у́ши *n.in* ear

уходи́ть MS -хо́дят; *intrans; Impf.* (*Pf.* уйти́) leave, go away, walk away

у́ши *NPlur. and APlur. of* у́хо

Ф

фа́кт SS *m.in* fact

фе́льдшер SE *NPlur.* -а́ [*or* SS] *m.an* doctor's assistant, medical attendant, medical practitioner lacking graduate qualification

фо́рменный (*colloquial*) real, absolute, genuine

фра́к SS *m.in* coat-tails, tails

францу́з SS *m.an* Frenchman

Х

ха́ркать SS -ают; *intrans; Impf.* (*no Pf.*) expectorate, cough

хва́статься SS -аются; *Impf.* (*Pf.* по-) brag, boast

хвата́ть SS -а́ют; *Impf.* (*Pf.* схвати́ть) grab

хвата́ться[1] SS -а́ются; *Impf.* (*Pf.* хвати́ться) start doing something in a sudden or hurried manner

хвата́ться[2] SS -а́ются; *Impf.* (*Pf.* схвати́ться *and colloquial* хвати́ться) grab, catch

хвати́ться[1] SS хва́тятся; хвачу́сь *Pf.* (*Impf.* хвата́ться) start doing something in a sudden or hurried manner

хвати́ться[2] SS хва́тятся; хвачу́сь *Pf.* (*Impf, rare* хвата́ться) realize one's failure to do smt. *e.g.* ве́чером хвати́лся, что

де́нег не взя́л в ба́нке in the
evening he realized that he'd
forgotten to get cash from the
bank

хвора́ть SS -а́ют; *intrans; Impf. (no
Pf.) (colloquial)* be ill, be ailing
• хвора́ть по́чками *(colloquial)*
have a kidney problem

хлеб SS *m.in* bread; loaf of bread

хле́бный S (e) bread; *(colloquial)*
rich, fertile; profitable, lucrative

хло́пать SS -ают; *Impf. (Pf-once*
хло́пнуть; *Pf-awhile* по-) bang,
slap; slam • хло́пать в ладо́ши
clap, applaud

хло́пнуть SS -нут; *Pf-once (Impf.*
хло́пать) bang, slap; slam
• хло́пнуть в ладо́ши clap one's
hands

ходи́ть MS хо́дят; *intrans;
Non-One-way Impf. (One-way
Impf.* идти́; *Pf-awhile* по-)
come/go, walk

хозя́ин SS *NPlur.* хозя́ева, *GPlur.*
хозя́ев *m.an* owner; master;
host; landlord

хозя́йка SS (e) *f.an* owner;
hostess; landlady

хозя́йский owner's; proprietary

хоро́ший E *compar.* лу́чше good
• Она́ хороша́ собо́й She's
beautiful; Всего́ хоро́шего!
Goodbye!

хорошо́[1] well

хорошо́[2] OK, fine, all right

хорошо́[3] *predicate* it is good; feel
good *e.g.* Вам *Dat* хорошо́ тут
сиде́ть? Are you comfortable
sitting here? Мне хорошо́ I feel
good

хоте́ть ES хотя́т хочу́ хо́чешь
хо́чет хоти́м хоти́те; *Imperative
avoided; intrans; Impf. (Pf-begin*
за-) want

хоть[1] although, even though; even
if; at least • хоть бы if only

хоть[2] for example

хотя́ although, even though; even
if; at least • хотя́ бы if only хотя́
бы и... so what if...; хотя́ по
два́... even two, as few/many as
two...

хохота́ть MS хохо́чут; *intrans;
Impf. (Pf-begin* за-) laugh
openly and loudly

хохо́чет *non-past form of* хохо-
та́ть

хо́чет *non-past form of* хоте́ть

хра́бро bravely; courageously;
valiantly

хра́брый M [*sh.Plur.* хра́бры]
brave; courageous; valiant

хрен SS *Part.* -у; *(Irreg. in the
colloquial phrase* ни хрена́) *m.in*
horseradish • ни хрена́ *(slang)*
not a darn thing

ху́же *compar. of* плохо́й, пло́хо
• е́сли не сказа́ть ху́же to put it
mildly, to put it kindly

Ц

ца́рский[1] of the tsar, tsar's

ца́рский[2] tsarist • ца́рский режи́м
the tsarist regime (in Russia
before the Revolution of
February 1917)

целко́вый *adj. used as noun
(colloquial, old-fashioned)* rouble

цепля́ться SS -ются; *Impf. (Pf.*
зацепи́ться) hold on to, hang on
to, to cling to

Ч

час SE *(not to be confused with*
часы́ watch; clock) *m.in* hour;
o'clock

чего́ *(colloquial variant of* что
what); why?, what for?
(colloquial) • Да чего́ я хоте́л. .?
Well, what did I want. .? ты чего́
э́то? *(colloquial)* what's the
matter with you?

чего́-то *colloquial variant of*
что́-то
чей *special adj.* whose
челове́к SS *NPlur.* лю́ди, *GPlur.*
люде́й, *PPlur.* лю́дях, *DPlur.*
лю́дям, *IPlur.* людьми́; *after
numerals these Plural forms are
also possible, GAPlur.* челове́к,
PPlur. -ах, *DPlur.* -ам *m.an* man,
person
челове́чек SS (е) *m.an dimin. of*
челове́к
челове́ческий human; humane
чем than; rather than • чем ... тем
the ... the, *as in* чем скоре́е, тем
лу́чше the sooner, the better
че́рез[1] *prep +Acc (colloquial)*
because of
че́рез[2] *prep +Acc* through; across;
in (a certain time)
чересчу́р too; too much
черни́льница SS *f.in* ink-pot,
ink-well
чёрный Е (е) *sh.masc.* чёрен black
чёрт SE *NPlur.* че́рти *m.an* devil
• Чёрт возьми́! Damn! что́ за
чёрт? what the hell? чёрт его́
зна́ет что the devil knows what;
a hell of a mess
чёртов *special adj.* damn, darned
чертыха́ться SS -а́ются; *Impf.*
(*Pf-once* чертыхну́ться) swear;
curse
чертыхну́ться ES -у́тся; *Pf-once*
(*Impf.* чертыха́ться) (*colloquial*)
swear; curse
че́стный М (е) [*sh.Plur.* че́стны]
honest; honorable
честь SS *Plur. hypothetical; f.in*
honor • че́стью прошу́ I appeal
to your sense of honor; I am
asking because my honor is
involved
четве́рг ЕЕ *m.in* Thursday
че́тверть SE *NPlur.* че́тверти *f.in*
quarter; measurement unit for
liquids equivalent to about three
liters

четы́ре four
чи́сто purely, merely
чи́стый М [*sh.Plur.* чи́сты]
compar. чи́ще clean; pure
чита́тель SS *m.an* reader
чита́ть SS -а́ют; *Impf.* (*Pf.* про-
and прочесть) read • чита́ть
ле́кцию give a lecture
член SS *m.an* member (*of an
organization*); (*anat.*) limb
чле́нский member, membership
• чле́нские взно́сы membership
fee, dues
что́[1] *pronoun* what; whatever;
something, anything; that,
which • к чему́? what for?
что[2] that • потому́ что because
чтоб *colloquial variant of* чтобы
чтобы[1] in order to, in order that,
that
чтобы[2] may, *as in* Чтобы ты сдох!
(May you) drop dead!
что́-нибудь *pronoun; only first
part inflected (like* что́)
something, anything, something
or other, anything at all
что́-то[1] *pronoun; only first part
inflected (like* что́) something
что́-то[2] somewhat, slightly;
somehow
чу́вствовать SS -ствуют; *Impf.*
(*Pf.* по-) experience, feel, sense
чу́вствуя *pres. deverbal adv. of*
чу́вствовать
чуда́к ЕЕ *m.an* eccentric (person)
чужо́й Е *no sh.masc; other short
forms avoided* alien; strange;
outsider's; someone else's
чуть hardly, scarcely just • чуть
не almost, nearly, all but

Ш

ша́йка SS (e) *f.in* wash basin (*usually made of tin, often with two handles*)

ша́пка SS (o) *f.in* cap, hat

шёл *past tense form of* идти́ walk

шестна́дцать sixteen

ше́сть six

ше́я SS *f.in* neck

широ́кий M [*sh.neut.* широко́, *sh.Plur.* широки́] *compar.* ши́ре wide

ши́ре *compar. of* широ́кий, широко́

ши́ть ES шью́т; ше́й! *no pres. adv; ppp* ши́тый S; *Impf.* (*Pf.* c-) sew, make (clothes)

штаны́ E *Plur. only; #-declension m.in* pants

шу́м SS *Part.* -у *m.in* noise

шу́мно noisily

Щ

щека́ EE *ASg.* щёку [*or* щеку́], *NPlur.* щёки *f.in* cheek

щёлка SS (o) *f.in* (*dimin. of* щель) chink, crack

Э

э́вон (*substandard, colloquial*) there, see there

эгои́зм SS *m.in* egoism; self-centered arrogance

эй hey!

экипа́ж SS *m.in* (horse-drawn) carriage; team, crew (of a ship, aircraft, *etc.*)

эконо́мить SS -мят; *Impf.* (*Pf.* c-) use sparingly, save; economize (on), save (on)

экспе́рти́за SS *f.in* examination, inspection (*usually by a panel of experts*)

эксце́сс SS *m.in* excess, overindulgence, immoderation

электрифика́ция SS *f.in* electrification, installation of electricity

электри́ческий electrical

электри́чество SS *n.in* electricity; current; electric lights
• электри́чество гори́т (*colloquial*) the lights are on

эне́ргия SS *f.in* energy; (*colloquial for* электроэне́ргия) electric power

эта́ж EE *m.in* floor, story, level

э́то this is, that is, these are, those are; *untranslated in definitions, as in* Общежи́тие — э́то до́м, где живу́т студе́нты A dormitory is a building where students live; is it (*when used with question words, as in* Почему́ э́то о́н не пришёл? Why is it that he didn't come?*)

э́тот[1] *special adj.* this, that

э́тот[2] *pronoun* this one

Я

я *pronoun* I, me

яви́ться[1] MS я́вятся; *Pf.* (*Impf.* явля́ться) appear; turn up

яви́ться[2] MS я́вятся; *Pf.* (*no Impf.*) become; turn out to be

явля́ться[1] SS -я́ются; *Impf.* (*Pf.* яви́ться) appear; turn up

явля́ться[2] SS -я́ются; *Impf.* (*no Pf.*) (*bureaucratic*) be; serve as

я́вный S (e) overt; open; manifest; obvious

я́д SS *m.in* poison; venom

ядови́тый S poison; poisonous; venomous; toxic

язви́тельный caustic, biting, cutting, sarcastic, acid

я́рость SS *f.in* fury

я́сно *predicate* it is clear

я́сный M (e) [*sh.Plur.* ясны́] clear; bright • я́сное де́ло clearly, obviously, of course

я́щик SS *m.in* box; drawer

OTHER BOOKS FROM SLAVICA

Patricia M. Arant: *Russian for Reading,* 214 p., 1981.

Howard I. Aronson: *Georgian: A Reading Grammar,* 526 p., 1982.

James E. Augerot and Florin D. Popescu: *Modern Romanian,* xiv + 330 p., 1983.

Natalya Baranskaya: Неделя как неделя *Just Another Week,* edited by L. Paperno *et al.,* 92 p., 1989.

Adele Marie Barker: *The Mother Syndrome in the Russian Folk Imagination,* 180 p., 1986.

R. P. Bartlett, A. G. Cross, and Karen Rasmussen, eds.: *Russia and the World of the Eighteenth Century,* viii + 684 p., 1988.

John D. Basil: *The Mensheviks in the Revolution of 1917,* 220 p., 1984.

Henrik Birnbaum & Thomas Eekman, eds.: *Fiction and Drama in Eastern and Southeastern Europe: Evolution and Experiment in the Postwar Period,* ix + 463 p., 1980.

Henrik Birnbaum and Peter T. Merrill: *Recent Advances in the Reconstruction of Common Slavic (1971-1982),* vi + 141 p., 1985.

Marianna D. Birnbaum: *Humanists in a Shattered World: Croatian and Hungarian Latinity in the Sixteenth Century,* 456 p., 1986.

Feliks J. Bister and Herbert Kuhner, eds.: *Carinthian Slovenian Poetry,* 216 p., 1984.

Karen L. Black, ed.: *A Biobibliographical Handbook of Bulgarian Authors,* 347 p., 1982.

Marianna Bogojavlensky: *Russian Review Grammar,* xviii + 450 p., 1982.

Rodica C. Boțoman, Donald E. Corbin, E. Garrison Walters: *Îmi Place Limba Română/A Romanian Reader,* 199 p., 1982.

Richard D. Brecht and James S. Levine, eds: *Case in Slavic,* 467 p., 1986.

Gary L. Browning: *Workbook to Russian Root List,* 85 p., 1985.

Diana L. Burgin: *Richard Burgin A Life in Verse,* 230 p., 1989.

R. L. Busch: *Humor in the Major Novels of Dostoevsky,* 168 p., 1987.

Catherine V. Chvany and Richard D. Brecht, eds.: *Morphosyntax in Slavic,* v + 316 p., 1980.

Jozef Cíger-Hronský: *Jozef Mak* (a novel), translated from Slovak, 232 p., 1985.

J. Douglas Clayton, ed.: *Issues in Russian Literature Before 1917 Selected Papers of the Third World Congress for Soviet and East European Studies,* 248 p., 1989.

Julian W. Connolly and Sonia I. Ketchian, eds.: *Studies in Russian Literature in Honor of Vsevolod Setchkarev,* 288 p. 1987.

Gary Cox: *Tyrant and Victim in Dostoevsky,* 119 p., 1984.

Anna Lisa Crone and Catherine V. Chvany, eds.: *New Studies in Russian Language and Literature,* 302 p., 1987.

OTHER BOOKS FROM SLAVICA

Carolina De Maegd-Soëp: *Chekhov and Women: Women in the Life and Work of Chekhov*, 373 p., 1987.

Bruce L. Derwing and Tom M. S. Priestly: *Reading Rules for Russian: A Systematic Approach to Russian Spelling and Pronunciation, with Notes on Dialectal and Stylistic Variation*, vi + 247 p., 1980.

Dorothy Disterheft: *The Syntactic Development of the Infinitive in Indo-European*, 220 p., 1980.

Thomas Eekman and Dean S. Worth, eds.: *Russian Poetics* Proceedings of the International Colloquium at UCLA, September 22-26, 1975, 544 p., 1983.

Mark J. Elson: *Macedonian Verbal Morphology A Structural Analysis*, 147 p., 1989.

Michael S. Flier and Richard D. Brecht, eds.: *Issues in Russian Morphosyntax*, 208 p., 1985.

Michael S. Flier and Alan Timberlake, eds: *The Scope of Slavic Aspect*, 295 p., 1985.

John Miles Foley, ed.: *Comparative Research on Oral Traditions: A Memorial for Milman Parry*, 597 p., 1987.

John M. Foley, ed.: *Oral Traditional Literature A Festschrift for Albert Bates Lord*, 461 p., 1981.

Diana Greene: *Insidious Intent: An Interpretation of Fedor Sologub's The Petty Demon*, 140 p., 1986.

Charles E. Gribble, ed.: *Medieval Slavic Texts, Vol. 1, Old and Middle Russian Texts*, 320 p., 1973.

Charles E. Gribble: *Reading Bulgarian Through Russian*, 182 p., 1987.

Charles E. Gribble: *Russian Root List with a Sketch of Word Formation, Second Edition*, 62 p., 1982.

Charles E. Gribble: *A Short Dictionary of 18th-Century Russian*/Словарик Русского Языка 18-го Века, 103 p., 1976.

Charles E. Gribble, ed.: *Studies Presented to Professor Roman Jakobson by His Students*, 333 p., 1968.

George J. Gutsche and Lauren G. Leighton, eds.: *New Perspectives on Nineteenth-Century Russian Prose*, 146 p., 1982.

Morris Halle, ed.: *Roman Jakobson: What He Taught Us*, 94 p., 1983.

Morris Halle, Krystyna Pomorska, Elena Semeka-Pankratov, and Boris Uspenskij, eds.: *Semiotics and the History of Culture In Honor of Jurij Lotman Studies in Russian*, 437 p., 1989.

Charles J. Halperin: *The Tatar Yoke*, 231 p., 1986.

William S. Hamilton: *Introduction to Russian Phonology and Word Structure*, 187 p., 1980.

Pierre R. Hart: *G. R. Derzhavin: A Poet's Progress*, iv + 164 p., 1978.

OTHER BOOKS FROM SLAVICA

Michael Heim: *Contemporary Czech,* 271 p., 1982.

Michael Heim, Zlata Meyerstein, and Dean Worth: *Readings in Czech,* 147 p., 1985.

Warren H. Held, Jr., William R. Schmalstieg, and Janet E. Gertz: *Beginning Hittite,* ix + 218 p., 1988.

M. Hubenova & others: *A Course in Modern Bulgarian, Part 1,* viii + 303 p., 1983; *Part 2,* ix + 303 p., 1983.

Martin E. Huld: *Basic Albanian Etymologies,* x + 213 p., 1984.

Charles Isenberg: *Substantial Proofs of Being: Osip Mandelstam's Literary Prose,* 179 p., 1987.

Roman Jakobson, with the assistance of Kathy Santilli: *Brain and Language Cerebral Hemispheres and Linguistic Structure in Mutual Light,* 48 p., 1980.

Donald K. Jarvis and Elena D. Lifshitz: *Viewpoints: A Listening and Conversation Course in Russian, Third Edition,* iv + 66 p., 1985; *Instructor's Manual,* v + 37 p.

Leslie A. Johnson: *The Experience of Time in <u>Crime</u> <u>and</u> <u>Punishment</u>,* 146 p., 1985.

Stanislav J. Kirschbaum, ed.: *East European History: Selected Papers of the Third World Congress for Soviet and East European Studies,* 183 p., 1989.

Emily R. Klenin: *Animacy in Russian: A New Interpretation,* 139 p., 1983.

Andrej Kodjak, Krystyna Pomorska, and Kiril Taranovsky, eds.: *Alexander Puškin Symposium II,* 131 p., 1980.

Andrej Kodjak, Krystyna Pomorska, Stephen Rudy, eds.: *Myth in Literature,* 207 p., 1985.

Andrej Kodjak: *Pushkin's I. P. Belkin,* 112 p., 1979.

Andrej Kodjak, Michael J. Connolly, Krystyna Pomorska, eds.: *Structural Analysis of Narrative Texts (Conference Papers),* 203 p., 1980.

Demetrius J. Koubourlis, ed.: *Topics in Slavic Phonology,* vii + 270 p., 1974.

Ronald D. LeBlanc: *The Russianization of Gil Blas: A Study in Literary Appropriation,* 292 p. 1986.

Richard L. Leed, Alexander D. Nakhimovsky, and Alice S. Nakhimovsky: *Beginning Russian, Vol. 1,* xiv + 426 p., 1981; *Vol. 2,* viii + 339 p., 1982.

Richard L. Leed and Slava Paperno: *5000 Russian Words With All Their Inflected Forms: A Russian-English Dictionary,* xiv + 322 p., 1987.

Edgar H. Lehrman: *A Handbook to Eighty-Six of Chekhov's Stories in Russian,* 327 p., 1985.

Lauren Leighton, ed.: *Studies in Honor of Xenia Gąsiorowska,* 191 p.

OTHER BOOKS FROM SLAVICA

R. L. Lencek: *The Structure and History of the Slovene Language,* 365 p.

Jules F. Levin and Peter D. Haikalis, with Anatole A. Forostenko: *Reading Modern Russian,* vi + 321 p., 1979.

Maurice I. Levin: *Russian Declension and Conjugation:* A Structural Description with Exercises, x + 159 p., 1978.

Alexander Lipson: *A Russian Course. Part 1,* ix + 338 p., 1981; *Part 2,* 343 p., 1981; *Part 3,* iv + 105 p., 1981; *Teacher's Manual* by Stephen J. Molinsky (who also assisted in the writing of Parts 1 and 2), 222 p.

Yvonne R. Lockwood: *Text and Context Folksong in a Bosnian Muslim Village,* 220 p., 1983.

Sophia Lubensky & Donald K. Jarvis, eds.: *Teaching, Learning, Acquiring Russian,* viii + 415 p., 1984.

Horace G. Lunt: *Fundamentals of Russian,* xiv + 402 p., reprint, 1982.

Paul Macura: *Russian-English Botanical Dictionary,* 678 p., 1982.

Thomas G. Magner, ed.: *Slavic Linguistics and Language Teaching,* x + 309 p., 1976.

Amy Mandelker and Roberta Reeder, eds.: *The Supernatural in Slavic and Baltic Literature: Essays in Honor of Victor Terras,* Introduction by J. Thomas Shaw, xxi + 402 p., 1989.

Vladimir Markov and Dean S. Worth, eds.: *From Los Angeles to Kiev Papers on the Occasion of the Ninth International Congress of Slavists,* 250 p., 1983.

Mateja Matejić and Dragan Milivojević: *An Anthology of Medieval Serbian Literature in English,* 205 p., 1978.

Peter J. Mayo: *The Morphology of Aspect in Seventeenth-Century Russian (Based on Texts of the Smutnoe Vremja),* xi + 234 p., 1985.

Arnold McMillin, ed.: *Aspects of Modern Russian and Czech Literature Selected Papers of the Third World Congress for Soviet and East European Studies,* 239 p., 1989.

Gordon M. Messing: *A Glossary of Greek Romany As Spoken in Agia Varvara (Athens),* 175 p., 1988.

Vasa D. Mihailovich and Mateja Matejic: *A Comprehensive Bibliography of Yugoslav Literature in English, 1593-1980,* xii + 586 p., 1984.

Vasa D. Mihailovich: *First Supplement to A Comprehensive Bibliography of Yugoslav Literature in English 1981-1985,* 338 p., 1989.

Edward Mozejko, ed.: *Vasiliy Pavlovich Aksenov: A Writer in Quest of Himself,* 272 p., 1986.

Edward Możejko: *Yordan Yovkov,* 117 p., 1984.

Alexander D. Nakhimovsky and Richard L. Leed: *Advanced Russian, Second Edition, Revised,* vii + 262 p., 1987.

Felix J. Oinas: *Essays on Russian Folklore and Mythology,* 183 p., 1985.

OTHER BOOKS FROM SLAVICA

Hongor Oulanoff: *The Prose Fiction of Veniamin Kaverin,* v + 203 p.

Temira Pachmuss: *Russian Literature in the Baltic between the World Wars,* 448 p., 1988.

Lora Paperno: *Getting Around Town in Russian: Situational Dialogs,* English translation and photographs by Richard D. Sylvester, 123 p.

Slava Paperno, Alexander D. Nakhimovsky, Alice S. Nakhimovsky, and Richard L. Leed: *Intermediate Russian: The Twelve Chairs,* 326 p.

Ruth L. Pearce: *Russian For Expository Prose, Vol. 1 Introductory Course,* 413 p., 1983; *Vol. 2 Advanced Course,* 255 p., 1983.

Jan L. Perkowski: *The Darkling A Treatise on Slavic Vampirism,* 169 p.

Gerald Pirog: *Aleksandr Blok's* Итальянские Стихи *Confrontation and Disillusionment,* 219 p., 1983.

Stanley J. Rabinowitz: *Sologub's Literary Children: Keys to a Symbolist's Prose,* 176 p., 1980.

Gilbert C. Rappaport: *Grammatical Function and Syntactic Structure: The Adverbial Participle of Russian,* 218 p., 1984.

David F. Robinson: *Lithuanian Reverse Dictionary,* ix + 209 p., 1976.

Don K. Rowney & G. Edward Orchard, eds.: *Russian and Slavic History,* viii + 303 p., 1977.

Catherine Rudin: *Aspects of Bulgarian Syntax: Complementizers and WH Constructions,* iv + 232 p., 1986.

Gerald J. Sabo, S.J., ed.: *Valaská Škola, by Hugolin Gavlovič, with a linguistic sketch by Ľ. Ďurovič, 730 p., 1988.*

Ernest A. Scatton: *Bulgarian Phonology,* xii + 224 p., 1975 (reprint: 1983).

Ernest A. Scatton: *A Reference Grammar of Modern Bulgarian,* 448 p.

Barry P. Scherr and Dean S. Worth, eds.: *Russian Verse Theory Proceedings of the 1987 Conference at UCLA,* 514 p., 1989.

William R. Schmalstieg: *Introduction to Old Church Slavic, second edition,* 314 p., 1983.

William R. Schmalstieg: *A Lithuanian Historical Syntax,* xi + 412 p., 1988.

R. D. Schupbach: *Lexical Specialization in Russian,* 102 p., 1984.

Peter Seyffert: *Soviet Literary Structuralism: Background Debate Issues,* 378 p., 1985.

Kot K. Shangriladze and Erica W. Townsend, eds.: *Papers for the V. Congress of Southeast European Studies (Belgrade, September 1984),* 382 p., 1984.

J. Thomas Shaw: *Pushkin A Concordance to the Poetry,* 2 volumes, 1310 pages total, 1985.

Efraim Sicher: *Style and Structure in the Prose of Isaak Babel',* 169 p., 1986.

Mark S. Simpson: *The Russian Gothic Novel and its British Antecedents,* 112 p., 1986.

OTHER BOOKS FROM SLAVICA

David A. Sloane: *Aleksandr Blok and the Dynamics of the Lyric Cycle,* 384 p., 1988.

Greta N. Slobin, ed.: *Aleksej Remizov: Approaches to a Protean Writer*, 286 p., 1987.

Theofanis G. Stavrou and Peter R. Weisensel: *Russian Travelers to the Christian East from the Twelfth to the Twentieth Century*, L + 925 p.

Gerald Stone and Dean S. Worth, eds.: *The Formation of the Slavonic Literary Languages, Proceedings of a Conference Held in Memory of Robert Auty and Anne Pennington at Oxford 6-11 July 1981,* 269 p.

Roland Sussex and J. C. Eade, eds.: *Culture and Nationalism in Nineteenth-Century Eastern Europe,* 158 p., 1985.

Oscar E. Swan: *First Year Polish, second edition, revised and expanded,* 354 p., 1983.

Oscar E. Swan: *Intermediate Polish,* 370 p., 1986.

Jane A. Taubman: *A Life Through Verse Marina Tsvetaeva's Lyric Diary,* 296 p., 1989.

Charles E. Townsend: *Continuing With Russian,* xxi + 426 p., 1981.

Charles E. Townsend and Veronica N. Dolenko: *Instructor's Manual to Accompany Continuing With Russian*, 39 p., 1987.

Charles E. Townsend: *Czech Through Russian,* viii + 263 p., 1981.

Charles E. Townsend: *The Memoirs of Princess Natal'ja Borisovna Dolgorukaja,* viii + 146 p., 1977.

Charles E. Townsend: *Russian Word Formation, corrected reprint,* viii + 272 p., 1975.

Janet G. Tucker: *Innokentij Annenskij and the Acmeist Doctrine*, 154 p.

Boryana Velcheva: *Proto-Slavic and Old Bulgarian Sound Changes,* Translation of the original by Ernest A. Scatton, 187 p., 1988.

Walter N. Vickery, ed.: *Aleksandr Blok Centennial Conference,* 403 p.

Essays in Honor of A. A. Zimin, ed. D. C. Waugh, xiv + 416 p., 1985.

Daniel C. Waugh: *The Great Turkes Defiance On the History of the Apocryphal Correspondence of the Ottoman Sultan in its Muscovite and Russian Variants,* ix + 354 p., 1978.

Susan Wobst: *Russian Readings and Grammatical Terminology,* 88 p.

James B. Woodward: *The Symbolic Art of Gogol: Essays on His Short Fiction,* 131 p., 1982.

Dean S. Worth: *Origins of Russian Grammar Notes on the state of Russian philology before the advent of printed grammars,* 176 p., 1983.

Что я видел *What I Saw* by Boris Zhitkov, Annotated and Edited by Richard L. Leed and Lora Paperno, 128 p. (8.5 x 11" format), 1988.